D0581435

RESTE LE CHAGRIN

*... et le bonheur
de partager
une histoire "vraie".
C G
le 20.2.17*

www.editions-jclattes.fr

Catherine Grive

RESTE LE CHAGRIN

Roman

JC Lattès

Maquette de couverture : Fabrice Petithuguenin

ISBN : 978-2-7096-5978-9
© 2017, éditions Jean-Claude Lattès.
Première édition mars 2017.

À Louis Fayolle.
Pour Raphaëlle et Aurore,
et tous ceux qui reviennent sur leurs pas.

Un oiseau de plus, un oiseau de moins,
tu sais la différence c'est le chagrin.
Michel Polnareff, *Ça n'arrive*
qu'aux autres

Est-ce que tout l'océan du grand Neptune
pourra laver le sang et nettoyer
ma main ?
Non, ma main ensanglanterait plutôt
l'immensité des mers,
et ferait de leur teinte verdâtre
une seule teinte rouge.
Shakespeare, *Macbeth*, acte II

À l'initiative du général Pershing, le Congrès américain a organisé entre 1930 et 1933 les pèlerinages dits des *Gold Star Mothers*. Ces mères et ces épouses de soldats morts pendant la Première Guerre, dont elles avaient fait le choix de ne pas rapatrier la dépouille, se sont vu offrir un voyage collectif vers la France.

Ces expéditions (une dizaine) au départ de New York vers les cimetières militaires nouvellement construits duraient un mois et la traversée d'une semaine se faisait en paquebot.

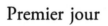

Premier jour

1.

Rester ? Sortir ? Je fais les cent pas, un-deux-trois jusqu'au hublot, quatre-cinq-six jusqu'à la porte. Une orchidée s'ennuie sur la table de nuit. Je déteste ces fleurs de luxe précieuses et mortifères. D'un coup d'ongle, sa tête part valdinguer sur le tapis. La voilà qui ne me quitte plus des yeux. Je la fourre dans ma poche, défais les deux seules valises auxquelles j'ai eu droit et sors sur le pont supérieur, par chance désert. La fleur, d'abord indécise, flotte avant d'aller mourir plus loin. Au même instant, New York sombre sur la ligne d'horizon. La dernière fois que j'ai vu cette image, saisie par une vague de tristesse alors sans objet, sa main était dans la mienne.

Ça parle derrière moi. Deux hommes d'affaires – nœud papillon canari pour l'un, lourdes poches sous les yeux pour l'autre –, discutent économie à côté de moi, faisant mine de s'écouter. Leurs airs satisfaits sont bien vulgaires. Des domaines qu'on connaît, il vaut mieux ne pas parler si personne ne vous pose de questions.

Le vent se lève, menaçant mon chapeau et par là mon chignon. Je repère un transat dans un renfoncement. Une fois installée, jambes enroulées dans une couverture aux armes de la Cunard, il ne me faut pas longtemps pour repérer le couple en voyage de noces, le commerçant retraité, l'Anglaise neurasthénique. Soudain, je les vois remontant sur ma gauche. Elles sont une vingtaine, arborant l'étoile sur le revers de leur manteau. Mon visage est-il marqué comme le leur, mon cou ridé, mon ventre aussi flasque ? La mort d'Alan m'a-t-elle à ce point enlaidie ? Le troupeau passe devant moi sans me voir.

Par chance, on se perd facilement sur un paquebot. Des couloirs succèdent à des ascenseurs qui succèdent à des salons. Parfois, je m'attarde sur le faux marbre d'un escalier, sur une série de marines soporifiques. Finalement, je parviens devant une double porte entrouverte. Je découvre un théâtre d'or et de pourpre, décoré de tentures de soie et de copies de statues babyloniennes tenant des lampes en forme de lis. Une passagère, âge intermédiaire, belle allure, cheveux châtains sous un foulard beau et cher, traverse la salle encore vide d'un pas alerte. Dix minutes plus tard, de retour sur le pont, le hasard de mes déambulations me fait me retrouver assise à côté d'elle. Moins de cinquante-cinq ans ? Plus de cinquante-cinq ans ? En tout cas, plus âgée que je ne pensais, vue de près. De quoi pourrions-nous parler si l'envie m'en prenait ? Du nom de notre bateau ? L'*America*. Pas aussi prometteur que le *Liberty* que j'ai pris la dernière fois. Pas aussi pompeux que le *Leviathan*, aussi grandiose que le *Vaterland*, l'*Olympic*, le *Titanic*… Mais non, qu'est-ce que je raconte, pas comme ce malheureux *Titanic*. Je tente d'apercevoir l'article du *Daily News* dans lequel elle est plongée. Il doit s'agir de ce krach boursier dont on nous rebat les oreilles. Non, c'est son horoscope. Que peut-il bien lui annoncer qui la fasse soudain sourire ainsi ?

— On y va ? fait-elle en repliant son journal d'un geste joyeux. La conférence commence dans dix minutes.

Face à mon air ahuri, elle désigne mon étoile, du menton. Je remarque la sienne.

— Mais il me semble que sans elle, je vous aurais reconnue aussi, fait-elle d'un sourire qui se voudrait complice.

J'ignore comment je dois le prendre. Si, pas très bien.

— Clara Ballatori, se présente-t-elle.

De jolis yeux, l'un plus grand que l'autre sans que cela l'enlaidisse.

— Catherine Troake.

Je regarde mes mains, posées sur le siège, qui me paraissent soudain très fines. Puis j'inspire, je me lève et lui emboîte le pas. Elle vient de Brooklyn, moi de Long Island. La villa que mon mari et moi y avons acheté à la naissance d'Alice est de style Nouvelle-Angleterre. Une maison solide en apparence pour une vie solide en apparence. Nous avions aussi un appartement dans l'Upper East Side, mais c'était surtout mon mari qui s'en servait quand ses rendez-vous se prolongeaient. J'imagine qu'il l'a vendu. Je lui demanderai la prochaine fois.

— Long Island ? C'est drôle, j'y passe souvent le week-end chez des amis, les Sandquist. Vous les connaissez sûrement.

— Non, désolée.

— Ah bon ? Des gens charmants, une très belle propriété face à la mer. Vous ne pouvez pas ne pas la connaître, elle…

Je la coupe.

— Pardonnez ma question, vous êtes née en quelle année ?

Elle me répond, un rien crâneuse :

— Je viens d'avoir cinquante-six ans. Et vous ?

Je m'apprête à ne pas lui répondre quand nous arrivons devant le théâtre. Les portes s'ouvrent sur des dizaines de femmes bruyantes, jacassant comme à une fête de charité, certaines avec un drapeau planté comme une fourche, dans la moquette.

Un militaire s'avance vers l'estrade. Le brouhaha s'interrompt.

— Je me présente, général Moroney de l'Army's Quartermaster Corps. C'est un grand honneur…

Et puis plus rien. Son regard nous balaie longuement. S'il n'était pas si vieux et gradé, je pourrais y percevoir de l'émotion.

— C'est un grand honneur pour moi, reprend-il, de vous accueillir pour ce premier voyage des *Gold Star Mothers*[1] afin de rendre honneur à nos héros partis combattre durant cette dernière guerre. Parce que nous ne devons jamais oublier les sacrifices que vos fils, vos maris ont accompli et le sacrifice que vous-mêmes avez fait en les regardant partir défendre l'honneur des États-Unis. Nous leur devons notre grandeur pour l'éternité.

Ma gorge se serre. Il faudrait pourtant se tenir sur ses gardes quand on entend ce genre de paroles.

— Depuis Cherbourg, nous partirons vers Paris où nous resterons trois jours, avant de faire route en car vers les cimetières où reposent nos héros, se sent-il obligé de nous rappeler au cas où certaines auraient oublié ce qu'elles faisaient là.

---

1. L'association des *Gold Star Mothers*, fondée en 1917 par Grace Darling Seibold, la mère d'un vétéran de la Première Guerre, était destinée aux mères ayant perdu un fils ou une fille dans les conflits. Elle s'est rapidement élargie aux épouses et aux enfants des victimes, et compte aujourd'hui plusieurs centaines de membres.

Il fait signe à une jeune femme en uniforme de venir le rejoindre sur l'estrade.

— Je vous présente Carol Thames, en charge de l'organisation de notre voyage.

De bonne naissance, plutôt jolie même pour un regard exigeant comme le mien.

— Ces infirmières…

Il nous désigne une flopée de jeunes femmes en tenue.

— … et ces escortes…

De jeunes militaires au garde-à-vous, garçons et filles, nous saluent sobrement.

— … sont également à votre disposition.

Je remarque une femme au bout de ma rangée, les pieds joints, la jupe longue sur les chevilles maigres. Mon regard est absorbé par son genou qui tremble. Sa main vient se poser dessus, comme pour le rassurer et, en effet, il arrête de s'agiter.

— Cette guerre était inévitable, fait une voix.

L'idée d'un mal nécessaire n'a pas trouvé et ne trouvera jamais place en moi.

2.

Je sors ma Lanvin en crêpe bleu. La première soirée n'est jamais élégante, les passagers ne sont pas censés avoir eu le temps de déballer leurs affaires.

De nouveau, je me perds sur le trajet, malheureusement pas assez pour ne pas trouver le restaurant. Je l'atteins en même temps qu'une très vieille dame. La jeune fille qui conduit son fauteuil marque un temps en découvrant les candélabres, les tables juponnées de nappes blanches, les verres en cristal. Tout ce luxe n'est souvent qu'une facette de l'ennui, ai-je envie de lui souffler.

Une femme en uniforme vient vers moi.

— Carol Thames, se présente-t-elle inutilement.

J'ai conservé ce réflexe de savoir lier un visage à un nom, à défaut d'avoir gardé celui de me montrer spontanément aimable.

— Je suis là pour vous accompagner. N'hésitez pas à me solliciter pour quelque question que ce soit.

Est-ce une bonne idée d'avoir accepté ce voyage ? N'arrive-t-il pas trop tard, seize ans après la mort d'Alan ? Trop tôt ? Ces questions comme si j'avais le choix : reculer ou avancer jusqu'à la fin.

— Et en attendant, je vous souhaite un bon appétit.

Un maître d'hôtel m'invite à le suivre. Le parcours jusqu'à ma table s'avère interminable. Et pour cause, nous sommes parquées à l'écart, loin des gens heureux et insouciants, venus fêter un anniversaire, un voyage de noces, un départ à la retraite, ou parce qu'ils ne savaient plus comment dépenser leur argent, ou juste comme ça, pour s'être trouvé une destination, un point où se rendre quelque part sur cette terre. Une fois attablée, une sorte de crampe me paralyse les mâchoires, m'empêchant de sourire si je l'avais voulu. Heureusement, ma voisine n'est autre que la femme du pont, Clara. En bleu, elle aussi. En face de moi, la femme au genou, paupières baissées, mains jointes. Moi je ne prie pas. Je ne remercie pas le Seigneur pour la nourriture qui nous est servie. Je ne remercie pas le Seigneur, jamais. Parmi les autres femmes se trouve une certaine Ivy Dorothy Roulon ou peut-être Boulon, je ne parviens pas à lire sur son badge d'infirmière. Cheveux permanentés, croix en or, un air de commisération qui m'énerve déjà.

Le commandant nous fait la grâce de choisir notre table ce soir. Immanquable uniforme blanc d'apparat, parfum d'homme soigné, de savon, de citron, de crème à raser.

— Commandant George Fried, se présente-t-il, un peu trop froidement à mon goût. C'est un grand honneur pour moi de vous accueillir à bord de l'*America*.

Près de trois cents mètres de long, pouvant atteindre une vitesse record de vingt-huit nœuds et transporter 1 900 passagers répartis en trois classes et 1 300 membres d'équipage, doté de quatre cheminées dont une décorative servant de stockage, combien de fois a-t-il récité son laïus de ce même regard fier contredisant cette voix atone ?

Sa voisine, collier de perles à trois rangs, l'entreprend sur les beautés de la navigation moderne. L'échange est poussif. Le regard du commandant erre à droite, à gauche. Au fond, il s'en fiche bien de nous. Nous ne sommes là que de passage. Peut-être même nous déteste-t-il d'occuper ainsi son bateau. Peut-être qu'il rêve la nuit de l'avoir à lui tout seul.

— D'où venez-vous, commandant ?

C'est Clara qui vient de poser la question.

— Cherbourg.

— Non je voulais dire, d'où venez-vous *vous* ?

Après une seconde de surprise, il relate sa carrière déjà longue, son service au cours de la guerre des Boers pour assurer le transport des troupes jusqu'au Cap, un terrible conflit qui a entraîné la mort d'un quart de la population. Sa voix décline quand il réalise à qui il parle, que son public s'en fiche bien de cette guerre-là.

— Je voulais dire où êtes-vous né, commandant ? insiste Clara.

— À Northampton, fait-il après une nouvelle hésitation.

Cela ne lui suffit pas. Elle veut savoir ce qu'il fait pendant ses vacances, à quoi ressemble sa « vraie » vie, ses hobbies, ce que faisaient ses parents. Visiblement mal à l'aise avec cette débauche d'intimité, elle tente de rassurer ce pauvre homme en lui confiant qu'elle-même est née dans un petit village de Nouvelle-Angleterre, qu'elle est mariée à un architecte, qu'elle a eu fils.

— Un seul fils ? lui demande sa voisine, une femme corpulente au visage grêlé.

— Un seul fils.

Les serveurs déposent les assiettes devant nous. Visiblement soulagé de cette distraction, le commandant nous sourit enfin et nous souhaite un bon appétit.

— Cet homme semble tout à fait digne de confiance, me glisse Clara à l'oreille. Nous pourrons compter sur lui en cas de naufrage.

— Sans doute, mais pour les situations ordinaires, je préfère compter sur des hommes un peu plus souriants.

Elle éclate d'un rire qui me laisse stupéfaite. Je ne cherchais pas particulièrement à être drôle. Des visages sévères se tournent vers nous avant de replonger dans leurs écrevisses.

— Il n'y a rien à manger là-dessus, grogne la femme à la peau grêlée. Je donnerais cher pour un agneau de lait de ma ferme.

La femme aux perles se racle la gorge. Son visage me dit vaguement quelque chose.

— Bon, puisque personne n'a l'air de s'en charger autour de cette table…

Ivy Dorothy Roulon-Boulon baisse les yeux en rougissant.

— … je propose que nous nous présentions chacune tour à tour. Je commence, je suis Mrs Vanderbilt.

Vanderbilt, bien sûr. Mais où l'ai-je vue ? En photo dans une rubrique mondaine ? Non, en vrai. Je reconnais sa voix arrogante et snobe.

— Mon fils est mort à la bataille de la Marne.

— Mrs Hartfield, enchérit la femme grêlée, abandonnant un instant sa fourchette. J'ai perdu mes deux fils, Andrew et Peter.

Je hoche une tête concernée, comme si ça m'intéressait de savoir pour elles.

— Mon fils John était officier, nous fait savoir Mrs Vanderbilt.

John ? Je ne vois toujours pas. En tout cas, c'était dans mon autre vie, la vraie.

— Mes fils allaient le devenir, officiers, réplique Mrs Hartfield.

— Comme vous y allez. En temps de guerre, le temps est à tout sauf à la certitude.

— Je connaissais mes fils, c'est tout.

— L'amour d'une mère ne connaît pas de limite… marmonne une jeune femme en robe excessivement violette qui donnerait mauvaise mine à un nouveau-né suisse.

Cela va bientôt être mon tour de me présenter. Je demande à la table de m'excuser, prétextant un début de migraine.

La journée a été longue, je me couche épuisée, sans me laver. Je ne me souviens pas de la dernière fois que j'ai fait tant d'efforts. Parfois, un jour, on cesse d'en faire, on cesse de parler. À ses parents, à ses enfants, à ses amis, à son mari. La gorge s'étrangle, plus aucun son ne sort. De la rouille se forme comme dans les canalisations des vieilles maisons. Ce n'est pas douloureux, encore moins désagréable.

Je me relève. Je vais quand même me laver les dents.

Deuxième jour

3.

Qu'est-ce que je vais bien pouvoir faire aujourd'hui ? Je fais mine de me poser la question alors que je le sais déjà, je vais lire sur le pont. Heureusement que j'aime ça, lire. De la poésie, des romans, j'avale tout. Quoi qu'il se passe par ailleurs dans ma vie, je lis. Je l'ai fait le jour où ma mère est morte, le jour où la maison a été cambriolée, le jour de la naissance de mes filles, le jour de mon divorce, le jour de… non pas le jour de la mort d'Alan. Enfin, je ne crois pas, je ne me souviens de rien.

Je me resserre une tasse de thé et un toast avec l'assurance feinte de celle qui se sait à sa place. Clara arrive, suivie de la femme au genou – Anna Rock. Sa peau de près est étrange, presque transparente, comme si les vaisseaux n'étaient pas alimentés. Elle devrait mieux manger. La voilà qui baisse la tête, remercie une fois encore le Seigneur. Du moins est-ce ce que je crois avant de m'apercevoir que ses doigts sont en fait occupés à ouvrir et refermer le petit sac posé sur ses genoux comme pour faire respirer un petit animal qui s'y serait caché. Clic-clac, clic-clac, fait le fermoir.

Mrs Vanderbilt s'installe à son tour, bruyante, encombrante, nous faisant savoir qu'elle est là et pas ailleurs. De même apprenons-nous que son café doit lui être servi brûlant, ses toasts grillés, mais pas trop, ses œufs brouillés. Serait-il possible de le noter quelque part ?

— Je ne tiens pas à le répéter tous les *marins,* dit-elle, trop fière pour corriger son lapsus.

Tout cela en m'ignorant à tel point que j'en viens à douter l'avoir déjà rencontrée.

Mon attention se reporte sur la vieille dame infirme, attablée avec les heureux. Ses traits sont délicats, ses cheveux brillants, son port de tête élégant. J'aurais aimé la voir jeune et belle, choisissant une robe, montant à cheval. J'aurais aimé la voir à son mariage, dirigeant une maison. J'aurais aimé la voir avec ses enfants, grandir avec eux, les voir partir. J'aurais aimé la voir enterrer son mari.

J'entends Clara demander à sa jeune voisine arrivée entre-temps, celle qui prétend y connaître quelque chose à l'amour d'une mère pour son fils, d'où elle vient. Cette manie de vouloir tout savoir la protège-t-elle de l'ennui ?

— Las Vegas.

— Et on fait quoi à Las Vegas, Mrs… ?

— Mrs Schrimp. Cornelia Schrimp. On fait du blé. Mes beaux-parents ont un ranch. Après la mort de mon mari sur le front de Verdun, je suis restée avec eux.

— Vous avez des enfants ?

— Nous sommes restés mariés un mois, fait-elle d'un ton neutre, avant de se tourner vers moi. Et vous, vous venez d'où ?

— Long Island.

— Où ça ?

— Au bord de la mer.

Rester vague, un exercice que je maîtrise à merveille.

— Je veux dire, littoral nord ou sud ? Non, laissez-moi deviner… Nord. Étés sans fin, sandwiches au crabe, jouets d'enfants riches abandonnés sur les plages, l'élite de Manhattan, les belles maisons. Je me trompe ?

Dans le brouhaha ambiant, je fais mine de ne pas avoir entendu sa question, mais c'est exactement ça. Comment peut-elle le savoir du fin fond de son ranch perdu ?

Les conversations reprennent. La météo clémente, le confort des matelas, la qualité du service, aucune banalité ne les effraie. Dire que je

31

vais devoir vivre avec elles pendant tout un mois. Heureusement, grâce aux bruits des couverts, les conversations se transforment en bourdonnements qui me permettent de rêver tranquillement à mon jardin. J'avais beaucoup réfléchi à son agencement, la façon de concilier des éléments contradictoires – des plates-bandes colorées – elfes orange, soucis, dahlias – avec des haies d'ifs et des buissons sombres – pour parvenir à une sorte d'harmonie dont je faisais le rêve dans tous les domaines de ma vie. Je ne suis pas certaine d'y être arrivée, mais je sais que c'est grâce à mon jardin que j'ai réussi à laisser le souvenir d'Alan s'éclipser parfois, à m'entretenir avec moi-même, à me parler toute seule comme ces personnes prétendument dérangées que l'on croise parfois dans la rue.

Mes réflexions sont interrompues par l'arrivée du général Moroney.

— Je vous souhaite un bon appétit, mesdames.

Les ailes de son nez sont couvertes de petites plaques d'eczéma.

— Venez donc vous asseoir une minute avec nous général, se trémoussent-elles.

— Ce serait avec plaisir, mais je suis pressé.

Il serait bien le seul à bord à avoir d'urgentes occupations. Sans doute ne veut-il pas trop nous connaître, préférant nous considérer comme une seule entité, un groupe de femmes moroses, à conduire d'un point à un autre.

— Certaines d'entre vous ont-elles la chance de connaître déjà Paris ? fait-il tout de même l'effort de nous demander, toujours debout.

— J'y suis allée en voyage de noces, fait Mrs Vanderbilt en agitant la pointe de son foulard.

J'ai remarqué qu'elle en porte toujours de très longs, en soie ou en laine, qui lui allongent utilement la silhouette, tout en l'enlaidissant par le choix des couleurs, jaune pâle, vert malade, bleu pétrole.

— Quelle chance ! s'exclame une rousse, sourcils épilés en pointe qui lui donnent un air perpétuellement sceptique.

Mrs Vanderbilt égraine les hauts lieux qu'elle a visités avec autant d'émotions qu'un dépliant touristique.

— La France est un si beau pays, soupire une femme.

— Le pays du fromage et du vin.

— Le pays des vrais intellectuels.

— Paris sera toujours Paris.

Des remarques usées jusqu'à la corde.

Je me lève, je passe à côté de la vieille dame qui s'est endormie, la bouche grande ouverte. L'envie me prend d'y glisser une petite brioche.

4.

S'il n'y avait les ahans des femmes au *medicine-ball* et les rires des courses de sacs parvenant du pont des troisième classe, on pourrait se croire dans la cour d'un sanatorium, à voir ces corps allongés, empaquetés sous les couvertures.

Je me laisse tomber dans le premier transat venu. J'ai mal partout. J'ai cinquante-cinq ans, c'est inévitable. D'autant plus inévitable qu'à l'instant où j'étais montée sur ce bateau, je m'étais sentie déjà fatiguée par cette tentative perdue d'avance de concilier le deuil et cette complicité de circonstance voire de joie de vivre têtue, avec toutes ces femmes.

Les yeux fermés, j'essaie de réfléchir à ce que cela signifie pour moi d'être là sur ce bateau, au temps qu'il m'a fallu pour me décider, aux questions que je me suis posées, à celles que je ne me suis surtout pas posées. Mais tout ce que j'arrive à savoir, c'est que j'y vais et qu'il le faut. Abandonnant mes réflexions oiseuses, mon attention dérive sur un homme accoudé au parapet jetant des regards obstinés vers le ciel comme pour y discerner un présage. La silhouette d'Alan m'apparaît dans cette exacte position, dix-sept ans plus tôt. Nous seuls avions l'idée de baptiser les îlots apparaissant ici et là, comme ce sein de sable blanc, avec quelque végétation pour l'alvéole, auquel il avait donné le nom de « Poséidon ».

— Ce dieu avait doté ses enfants d'un sixième sens qui les avertissait de l'arrivée des dangers, m'avait-il rappelé.

Il n'avait pas cinq ans quand il s'était pris de passion pour la Grèce antique, la mythologie. Je lui avais raconté Héraclès voyageant vêtu d'une peau de lion, Apollon jouant de sa lyre pour apporter la gaieté sur le monde. Je lui avais raconté Médée accusée d'avoir tué ses enfants. Il n'aimait pas cette histoire, il me la réclamait pourtant. À la fin, je lui disais Ce n'est pas vrai, tu sais, ce qu'on raconte sur elle, on ne l'a jamais prouvé.

— Quelles sortes de dangers, mon chéri ? lui avais-je demandé.

— Toutes les sortes de dangers possibles.

— Dis-m'en plus.

Il avait réfléchi quelques secondes.

36

— Regarde bien là-bas/au bout de mon doigt/si rien ne bouge/le ciel tremblera.

— Ton poème est magnifique mon chéri, mais ces dangers... ?

— Dans les tombeaux/Reposent nos vieux souvenirs...

Ses sœurs et leur père étaient venus nous interrompre. Il était l'heure d'aller dîner. Je ne saurais jamais si quelqu'un, à part sa mère impuissante, était venu le prévenir du danger. Enfin si, je sais très bien que non. Je ne serais pas là sinon.

L'homme accoudé au parapet se retourne. Son cigare presque entièrement consumé pend au coin de sa bouche, comme oublié là. Il s'assied et sans me saluer, ni me regarder, commence à se plaindre de sa situation boursière. Cela ne me surprend pas. Fut un temps où tous les hommes que je rencontrais qu'ils soient plombiers ou ambassadeurs finissaient par me raconter leurs soucis. À croire que c'est un don que j'ai gardé. Finalement, découragé par mon indifférence, il s'en va et me fiche la paix.

Je refuse une tasse de bouillon comme on sert aux malades ou aux vieillards, je me sens déjà assez diminuée comme ça.

Carol Thames – quel charme vraiment, malgré l'uniforme, et dotée de ce front haut que j'ai toujours associé aux femmes riches et intelligentes, ce qui ne doit pas être totalement son cas pour être obligée d'officier sur un bateau – vient me demander si je n'ai pas un peu froid comme ça, sans gilet, malgré la couverture. Elle propose d'aller le chercher dans ma cabine, ce qui me rappelle pour la deuxième fois en cinq minutes mon statut de dame respectable, même en l'absence des accessoires habituels, fourrure et alliance. Il y a peu on me disait encore que je ne faisais pas mon âge, mais on ne me le dit plus. Même moi, je ne me le dis plus.

Elle se penche pour voir le titre de mon livre. *Lettres de Van Gogh à son frère Théo.*

— Un bien triste peintre, ce Van Gogh. Tourmenté et incompris jusqu'à sa mort.

— Je ne connais pas bien, dis-je l'air de m'en excuser.

— Le nouveau grand musée de New York vient de lui consacrer une exposition au succès phénoménal.

Elle laisse passer un temps avant d'ajouter :

— C'est sans doute ce qu'on appelle réparer une injustice.

— Réparer une injustice est une vaine entreprise. Il est toujours trop tard.

Elle se mord la lèvre, regrettant son effort pour paraître spirituelle.

— Son frère et lui ont été enterrés côte à côte dans un village près de Paris. À Auvers-sur-Oise, s'enfonce-t-elle pourtant.

— Comme c'est attendrissant, je fais.

Elle serre les lèvres au point que sa bouche disparaît presque.

— En fait, Mrs Troake, je venais vous demander : viendrez-vous à la conférence sur les musées parisiens que nous organisons demain ?

— Pourquoi pas ?

Pas question. Tous ces repas en commun me seront déjà assez pénibles.

— À plus tard alors ? fait-elle en se levant.

— À plus tard.

Je ne vois pas de toute façon comment échapper longtemps à quelqu'un sur un bateau, aussi grand soit-il.

Enfin seule. Mon livre s'ouvre de lui-même à la page de garde : « À Alan, Alan Seeger[1], 3 septembre 1913 »… Une belle écriture penchée, appliquée. Une écriture de poète. Mais un poète nerveux comme en témoigne un pâté sur la page d'en face comme si son auteur avait secoué le stylo et que l'encre s'était écoulée trop vite, si bien que le Alan de la signature s'étale noir et presque visqueux.

Je referme le livre d'un coup sec, le glisse sous mes gants, étends le bras pour saisir un vieux *Daily News* sur le transat voisin. Un article sur le chantier du Rockefeller Center. Je le lis consciencieusement, examine les photos, mais ce ne sont pas les plans

---

1. Le célèbre auteur de « J'ai rendez-vous avec la mort », inspiré par son service sous les armes et les affres de la guerre, un des poèmes préférés de John F. Kennedy (son épouse Jackie l'avait appris par cœur pour le lui réciter quand il avait envie de l'entendre) et qui sera appris par des générations d'écoliers américains.

des futurs gratte-ciel que je vois, c'est le souvenir de cette promenade sous les grands ormes de Central Park au cours de laquelle Alice avait écarté du pied une chenille du chemin et qu'Alan s'était moqué de « son respect exagéré de la vie ».

Un mousse rougissant, presque un enfant, vient me prévenir qu'un exercice d'évacuation va commencer dans quelques minutes et que non, je n'ai aucun moyen d'en être dispensée, même si j'y ai déjà assisté lors de ma dernière traversée. Agacée, je prends tout mon temps pour repasser par ma cabine, soupirer, me recoiffer et même ne rien faire. Quand finalement je remonte, tout le troupeau m'attend sur le pont.

— Ah te voilà ! fait Clara. Je croyais t'avoir perdue !

— J'aurais pris le bateau du retour ?

Elle me fixe, déconcertée. *Là* j'avais voulu faire de l'esprit.

La leçon commence. Carol Thames et Ivy Dorothy Roulon-Boulon nous observent de loin. Que note Carol dans son carnet ? Que glisse Ivy Dorothy à l'oreille de Carol ? Celle-ci me fixe plus longtemps que cela me semble naturel ou approprié.

— Madame ?

Un marin vient de me tendre une horrible brassière orange. J'ai du mal à contenir un fou rire en voyant Mrs Hartfield tenter d'enfiler la sienne, un modèle taille enfant qu'on lui a donné par erreur. Après quelques minutes, nous voilà grotesques et difformes, sous le regard dubitatif des marins. Soudain les mots de danger, de mort assurée, de désastre sont crachés d'un haut-parleur. Suis-je donc la seule à les remarquer ? Je profite d'un moment d'inattention pour m'échapper.

5.

La vie prenait un autre sens quand il était là. De sens comme de direction, comme une voiture quittant subitement la route pour bifurquer dans un paysage ensoleillé. Le paysage de nos dernières vacances par exemple, objet de cette traversée il y a dix-sept ans, dont j'avais eu l'impardonnable idée.

À notre arrivée à Cherbourg, nous avions pris la route vers Saint-Paul-de-Vence, un mas sur la pinède qu'un ami de mon mari nous avait prêté. Les filles profitaient de la piscine, allaient danser au village. Alan, lui, lisait. Et quand Alan lisait, à la maison comme ailleurs, le monde avait beau s'agiter autour de lui, rien ne pouvait venir l'interrompre. Un voisin passait l'inviter pour une balade à vélo, son père lui proposait un tour en mer, j'allais chatouiller sa nuque avec une fleur, il continuait à lire et, dans cette fixité solaire, il finissait par ressembler à un sphinx. Alan ne me laissera jamais, c'est ça que je pensais en le regardant. Tout petit déjà, si je me reposais dans le jardin, je le voyais rappliquer avec sa pelle et son râteau. Ou quand je téléphonais, je le découvrais cinq minutes plus tard, assis dans son petit fauteuil qu'il avait poussé contre le mien, reniflant son doudou.

Mais certains jours quand même, Alan lâchait ses livres. Concrètement. Le livre était balancé à travers la table, jeté sur le tapis, poussé au pied d'un arbre. Alors il sortait ses tubes, son chevalet. Ses tableaux parlaient de paysages furieux, balafrés d'arbres morts, si éloignés de notre gai littoral. Où allait-il les chercher ces images, je l'ignorais. Quand il m'appelait pour le rejoindre au grenier me montrer ses toiles en cours, il déplaçait des feuilles de couleur représentant des éléments du paysage. Qu'est-ce que je pensais de cet arbre à cet endroit ? De ce rocher ? De ce nuage ? Je lui disais Là c'est mieux. Tu es sûre, ce ne serait pas mieux là ? Il me faisait douter, il le sentait, il recommençait tout, les sourcils froncés. Après les paysages, il était passé au portrait, nous forçant à rester immobiles des heures, ce qui finissait toujours par dégénérer avec son père, ses sœurs, mais jamais avec moi qui ne voyais de plus belle position sur la terre que celle d'être face à mon fils, gesticulant, cherchant, inventant.

6.

J'ai repéré une place, dans un renfoncement entre deux canots, où l'on n'est pas trop vu sauf par le soleil, et où s'il n'y a pas de vent, on a presque trop chaud. Dehors, dedans, j'ai froid.

Mrs Hartfield, la mère des deux fils, passe sur le pont sans me voir. Hommasse, les mains calleuses à force de manier la fourche, le corps ayant poussé dans des robes fermées, des tissus rêches, la féminité semble s'être désintéressée d'elle.

Une adolescente et son père sont installés un peu plus loin. Je ne les entends pas d'où je suis, mais lui semble l'énerver. Il en est conscient, mais fait comme si de rien n'était. Tous les enfants seraient forcément un jour déçus par leurs parents. Ce serait même nécessaire, je me demande bien en quoi. Pour ma part, je ne l'ai jamais été.

Reste le chagrin

Mon enfance à moi, à Long Island, a été exemplaire d'amour et d'ennui. Un père et une mère unis, spécialistes en art florentin du xviiie siècle, ni frère ni sœur pour venir m'agacer, le même vieux couple de domestiques depuis toujours. Clara est bien plus intéressante quand elle évoque son enfance dans les forêts du Maine, élevée par des parents dignes héritiers de Henri David Thoreau qui n'aimaient rien autant que pêcher et camper, avoir faim et les pieds glacés, une enfance dont je n'aurais pourtant voulu pour rien au monde.

— Je vous dérange ?

Celle qui vient s'asseoir à côté de moi est la rousse, Mrs Keating. Une coiffeuse, si j'ai bien suivi. Elle a fait une mauvaise chute sur le pont tout à l'heure, elle a le bras en écharpe. Elle plisse les yeux quand elle parle. Elle dit, c'est quand même ballot. Je lui fais comprendre que je ne suis pas tout à fait disponible car je lis. Elle me répond, je vous en prie, et elle embraie sur les antalgiques du médecin. Est-ce que par hasard je connaîtrais ce médicament, dont elle a oublié le nom ?

Je retiens un soupir. Pour ma précédente traversée, nous n'étions unis, passagers, que par des faits insignifiants – « Savez-vous à quelle heure est le dîner tout à l'heure ? », « Auriez-vous vu passer mon mari ? » Là, membre d'un même groupe, les circonstances m'imposeraient de faire la conversation. Mais non, je me suis fait une promesse en acceptant ce voyage : me libérer de tout ce qui m'ennuie et peut être évité.

— J'ai entendu dire que le soleil se réchauffait un peu plus chaque année.

— Ah.

— On dit même que d'ici quelque temps, les glaces des pôles Nord et Sud auront fondu.

N'est-ce pas plutôt l'inverse ? Le soleil qui refroidit un peu ?

Tenace, sa main se tend par-dessus ma page.

— Mrs Keating. J'ai perdu mon fils Steve.

N'y a-t-il pas d'autre manière de se présenter ?

— Mrs Troake.

— Je viens du Minnesota. Vous avez perdu votre fils vous aussi ?

Je fais mine de réfléchir à la question pour finalement me replonger dans mon livre.

Mon regard dérape sur les lignes. La vision de la page s'efface sous celle d'un cocon de laine douce et moelleuse, Alan, tout emmitouflé de blanc, quand nous avions quitté la maternité.

Je pouvais passer des heures à ne faire que suivre sa petite poitrine se soulever. Lorsque ses bras étaient devenus assez forts, il s'était agrippé à moi. Je l'emmenais partout, dans mon lit, dans mon bain, chez nos amis. Quand il avait commencé à marcher, je l'installais sur la plage devant la maison, sous ma longue jupe qui lui faisait comme une tente quand je pliais les jambes. Quand le soleil l'éblouissait, il me disait Enlève-le maman, pensant que j'en avais le pouvoir.

Il aimait tout observer de près. Son petit nez en trompette collé sur la vitre pour suivre la piste baveuse des escargots, les mains fouillant l'herbe du jardin pour découvrir les insectes cachés sous les feuilles. Il vivait dans l'évidence absolue, la connaissance immédiate de tout.

Ayant grandi, cela ne lui suffisait plus. Alors, je l'emmenais voir la baleine du musée d'Histoire naturelle, les pandas du zoo de Central Park, la chambre romaine, les armures japonaises, de l'inépuisable Metropolitan, je l'emmenais entendre Mozart, Brahms, Puccini à l'opéra, suivre étage par étage la construction du Flatiron Building, du Singer Building, du Woolworth Building, sans ses sœurs que tout cela ennuyait trop vite.

C'est vers cette époque que mon mari, lassé de me rappeler que j'avais *aussi* deux filles et accessoirement un mari, s'est mis à me regarder comme une jolie chose qui ne fonctionnait plus comme elle devrait, comme s'il avait découvert un défaut, une nouvelle très décevante puisqu'il avait justement pris soin, avant de la choisir, à ce qu'elle n'en soit pas trop pourvue.

La voix de Mrs Keating me sort de mes pensées.

— Mon fils est mort au Chemin des Dames. Vous imaginez ? Pendant quatre mois, je n'avais eu aucune nouvelle.

— C'est terrible, je fais pour dire quelque chose.

— C'est comme ça.

C'est ce que les gens disent pour dire que ça l'est en effet, terrible.

7.

Il est l'heure d'aller dîner. Deux fois déjà, j'ai enfilé mes escarpins, ouvert ma porte, et puis j'ai décidé de me rallonger. J'en ai assez fait pour aujourd'hui.

Quand je devine que les passagers sont partis se coucher, je monte prendre l'air. Je contemple la mer sombre, les marbrures blanches qui s'animent à la lumière du bateau. Il me semble entendre une voix d'enfant. Ce n'est pas sa voix. Je ne la comprends pas, mais elle est bien là. Je fouille des yeux l'obscurité, il n'y a aucun enfant. Soudain ces étoiles éternellement silencieuses au-dessus de cette mer éternellement agitée me paraissent insupportables. Alors que j'implorais la solitude il y a quelques heures, je prie pour parler à quelqu'un.

Heureusement que je ne m'étonne plus de mes propres contradictions.

Plus loin sur le pont, une fenêtre donne sur l'intérieur du bar. Des gens bien habillés passent, se croisent, cherchent à plaire, *se* plaire. Les femmes semblent satisfaites et, pourtant, elles regardent autour d'elles, comme si elles cherchaient quelque chose. Je me souviens bien de ce que cela faisait d'être l'une d'entre elles, combien j'ai détesté appartenir à ce monde sans jamais le dire, combien je m'y suis ennuyée. Ce que j'aurais aimé, c'était écrire. Écrire, mais quoi ? Comment écrire à propos de la vie, alors que je n'avais jamais eu de problèmes d'argent, aucun amant, que je n'avais vu mourir personne ? Une femme que je connaissais avait remporté un prix pour le récit de sa traversée du désert du Mali. Comment rivaliser avec ce genre de chose ?

Heureusement pour moi, l'envie d'écrire s'était volatilisée après la naissance d'Alan. Je n'écrivais plus que de petits poèmes, comme ça, pour le plaisir.

Clara entre dans le bar, rejoint Cornelia Schrimp, celle qui vit dans un ranh, à une table. Elle croise joliment les jambes, elle les alterne, tantôt la droite dessus, tantôt la gauche. Elle rit souvent, avec une dentition parfaite qui lui donne une expression enfantine – elle devait rire de la même façon à six ans –, ou alors, cela vient de ses joues qui s'arrondissent. Elle boit son verre à petites gorgées fréquentes. Je la vois presser la tête contre le dossier de son fauteuil. Le son d'un piano s'élève et soudain je ne comprends plus comment tous ces gens peuvent rire comme s'ils n'allaient jamais mourir.

8.

Il régnait une chaleur étouffante à Manhattan, cet été-là, celui de ses quinze ans. Le magasin Steinway & Sons semblait assoupi dans la pénombre et les instruments étaient recouverts d'un grand drap noir. On se serait cru dans un funérarium de pianos. Un vendeur vêtu de sombre s'était approché, nous demandant à voix basse s'il pouvait nous aider. Non. Alan savait précisément ce qu'il voulait : le même piano que Chopin pour y jouer l'*Opus 10*, un morceau que nous avions entendu la veille au Metropolitan Opera. Grâce à ce morceau, disait-il, il venait de découvrir après la peinture, après le tennis, après la sculpture, une nouvelle façon d'être heureux.

Le piano livré, il avait travaillé sans relâche. Il me réservait un pouf un peu bas, collé à lui. Il aimait me voir dans cette position, forcée à lever les yeux pour saisir les gestes de sa main, les expressions de son visage.

Les premiers temps après sa mort, j'avais tenu la pièce fermée à double-tour. Il n'y avait pourtant pas joué longtemps, me répétaient filles et mari, mais c'était ici que je pensais le mieux à lui, qu'il me revenait en couleurs, vivant. Plus vivant qu'au pied des arbres où il construisait des cabanes, qu'au bord de la rivière où il élevait ses barrages, que dans sa chambre pleine de recueils de poésie.

Plus vivant que le jour où il nous avait annoncé que nous allions devoir rentrer sans lui.

Après Saint-Paul-de-Vence nous attendait un long séjour à Paris. Paris que j'avais découvert à dix-huit ans, invitée par mon parrain, un être érudit et sensible qui m'emmenait dans des musées poussiéreux où ronflaient des gardiens en équilibre sur leur chaise, chez des bouquinistes bougons des bords de Seine, dans des soirées où des beautés à la peau claire glissaient dans les bras de leur ami pour filer ensuite dans les toilettes et échanger entre elles des ragots épouvantables. À chaque instant, quelque chose de beau ou d'inattendu se produisait. Jamais encore je ne m'étais sentie autant moi-même qu'à cette période de ma vie. Plus que moi-même. Celle que je voulais être, je la touchais enfin. C'est à mon retour à New York que j'avais rencontré mon mari.

Un homme beau et brillant, qui faisait ce qu'il disait et disait ce qu'il faisait. Des enfants en l'occurrence, un fils en particulier. Mon rêve depuis toujours. Mes poupées portaient des prénoms de garçons. À la fin de cet été 1912, nous logions dans cet appartement trop grand et trop sombre donnant sur la Seine, prêté par une cousine de mon mari. Aussitôt, Alan avait manifesté un esprit d'indépendance inhabituel. Il tenait à visiter les musées *seul* – les statues antiques du Louvre, les Cézanne du Petit Palais, les Caillebotte, les Millet au palais du Luxembourg –, à se promener dans les rues *seul*, à entrer dans les cafés *seul*. J'étais déçue, mais je ne lui en voulais pas, j'avais toute l'éternité avec lui. Je ne lui avais demandé qu'une seule chose en retour : qu'il fasse un effort et regarde avant de traverser. Il se jetait toujours dans la circulation et plus d'une fois je l'avais retenu *in extremis* par son col, une manche, un cri.

Le soir, il venait me raconter ses rencontres avec des jeunes gens et des jeunes filles, des écrivains, des artistes, toujours beaux, intelligents et cultivés. Il était excité au point que les mots butaient dans sa bouche. Enfant déjà, quand il avait trop à dire, il avait toujours un léger bégaiement qui disparaissait à mesure que je l'écoutais.

Mais, quelquefois, il rentrait directement dans sa chambre. J'attendais dans le salon ou la cuisine, faisant mine de lire ou de mâchonner quelque chose.

Puis une lumière s'allumait sous sa porte, j'entendais des pages se tourner, alors je savais qu'il ne servirait à rien d'attendre.

Au fil des jours, il s'était mis à rentrer de plus en plus tard, le visage cerné. Je ne me méfiais pas encore. La première alerte, un tressaillement à peine, s'était produite quand j'essayais une robe chez Poiret, son couturier préféré, et qu'il n'avait pas eu d'avis, que dans ses yeux je n'avais pas réussi à voir ce qu'il pensait. La deuxième, à peine un serrement dans la poitrine, quand il était revenu de la tour Eiffel pour voir si de là-haut « on voyait jusqu'au Congo », comme le prétendait un album que je lui lisais petit, une visite que nous avions prévu de faire ensemble. La troisième, un poignard en plein cœur, quand une nuit, il n'était pas rentré. Son père avait ri en découvrant le lit intact. Un rire d'homme qui m'avait glacé tout le dedans du corps. À son retour, j'avais mimé le détachement. La dernière alerte, la funeste, s'était produite quand il m'avait fait le récit de sa rencontre par hasard avec Alan Seeger, le fils d'Elsie et Charles, un couple d'amis proches vivant à Staten Island.

J'aimais beaucoup Elsie. Le type même de la femme un peu puritaine, aimante envers ses enfants et son mari, sans regrets parce que intelligiblement aveugle pour incarner cette mère parfaite, cette bourgeoise sans faille, mais le regard terriblement bleu, les rêves inlassablement renouvelés. Une Américaine, comme il y en a tant.

Seeger venait de terminer Harvard et s'était installé à Paris où il rédigeait des articles pour divers journaux américains. N'est-ce pas formidable, maman ? Il écrivait des poèmes aussi. Ah oui ? Il est tellement doué, merveilleux, inspiré, grandiose. Lui seul comprenait. Quoi ? Tout, maman, tout.

Un soir en rentrant, il s'était jeté sur son lit en sanglotant. Il n'imaginait pas un seul endroit sur la terre où il pourrait être plus heureux.

Il s'était mis à disparaître non plus des nuits, mais des jours entiers. Qu'as-tu fait aujourd'hui, mon chéri ? lui demandais-je d'une voix qui se voulait détachée. Alan et moi avons passé la journée à boire du cognac dans le jardin du Luxembourg avec des bandes de filles à bicyclette. Et puis ? Nous avons traversé le pont Neuf et croisé un homme promenant une poule sur son épaule. Et puis ? Nous sommes montés sur la statue de Jeanne d'Arc. Et puis ? Nous avons vu un chien. Et puis ? C'est tout. C'est tout ? Arrête, n'insiste pas, maman. Laisse-moi libre, libre, à Paris, en France !

Il avait fini par ne plus rien me dire, un sourire distant tatoué sur les lèvres, allant jusqu'à refuser que je l'embrasse. Alors au moment de sortir, j'allais lui fermer son col, resserrer son foulard, et j'en profitais pour lui caresser la joue. Il me disait Maman s'il te plaît, tu m'étouffes et je lui répondais Couvre-toi, tu vas attraper la mort.

Et finalement un soir, une semaine avant notre retour, il nous avait annoncé sa décision. Il restait ici, à Paris. Il allait écrire. Des poèmes, des romans, il ne savait pas encore. Écrire. Je me rappelle les minutes pétrifiées qui avaient suivi, puis la tempête en moi qui s'était levée, mon coup de pied dans le fauteuil près du mien, avant de me mettre à hurler.

J'entendais il est grand, et je disais non, il n'est pas grand, il a dix-sept ans. Il y a peu, il grimpait le long de mes jambes pour aller dans mes bras, il venait se blottir dans mon lit, il écrivait dans son journal (oui, je lisais son journal) : « Ma mère sait tout. Elle est merveilleuse. Je suis fière d'elle. Que ferais-je sans elle ? » J'entendais il est libre, et je disais non il n'est pas libre, un fils n'est jamais libre tant que sa mère est en vie. Alan pleurait à l'autre bout de la pièce.

— Comment peux-tu me faire une chose pareille ?

— Je suis désolé.

— C'est tout ce que tu trouves à dire ?

— Calme-toi, Catherine. Tu l'aimes trop, avait fait mon mari, sur un ton amer.

— S'il m'aimait vraiment, il ne voudrait pas rester. Il voudrait partir avec nous.

— Maman, m'avait coupée Alice. Je t'assure que c'est bien. Il reviendra à Noël.

— Tais-toi ! Comment peux-tu savoir ?

— Il a promis…

Mon sang s'était glacé.

— Vous saviez ?

Ils avaient baissé la tête. Ils m'avaient trahie. À ce moment-là, quelque chose s'est brisé entre nous.

Le lendemain matin, j'avais retrouvé Alan dans la cuisine. Il m'avait dit bonjour. Cela m'avait mise dans un telle fureur que j'avais balancé la bouteille de lait par terre. J'aurais préféré qu'il ne dise rien.

Cela avait continué comme ça pendant trois jours. Il quittait la maison sans dire où il allait mais, toutes les nuits, il était là. Alors j'allais le réveiller et je lui disais Tu vas rentrer avec nous, commencer tes études à Harvard, ne pas m'abandonner, c'était tout ce que je répétais. Réfléchir, ce serait pour plus tard. Si j'avais pu l'attacher dans son lit, je l'aurais fait. Et finalement, un soir, il était rentré dans ma chambre, tête baissée. Il cédait. Je me souviens d'avoir pensé que, désormais, tout irait bien et pour toujours. Je l'avais entouré de mes bras, j'avais caressé son visage. Il refusait encore de me regarder, de me parler, cela viendrait.

Je m'étais tue moi aussi et mise à compter le nombre de repas plombés qu'il nous restait à prendre dans ce pays de malheur.

Le matin du départ, il ne parlait toujours pas. À mesure que la voiture montait sur Cherbourg, je sentais une pelote de laine blanche et douce se dérouler, tirer, tirer et finir par rompre. C'est une douleur, mais j'allais faire un effort pour m'habituer à l'idée que mon fils avait grandi, qu'il partirait un jour de la maison, mais seulement pour une bonne raison et quand je serais d'accord.

Dans la vedette qui nous conduisait au bateau, voyant la côte s'éloigner, je respirais enfin. Il me tournait le dos. Mes yeux ne quittaient pas sa nuque, ce petit grain de beauté que nous avions en commun. Je résistais à l'envie de la sentir sous ma main.

Et soudain elle avait disparu. Quand j'avais réalisé, j'avais voulu sauter aussi. Mon mari m'avait retenue, je m'étais débattue, mais mon fils nageait vite, il était loin déjà. Je l'avais vu saisir une main qui l'aidait à monter sur le quai. Mon mari, mes filles m'avaient emportée et enfermée dans ma cabine. Sans eux, j'aurais sauté aussi, je l'aurais ramené à la maison. Tout était de leur faute.

Sa nuque, c'est la dernière chose, vivante ou morte, que j'ai vue de lui.

Troisième jour

9.

Ça m'arrive bien sûr, mais trois matins de suite et encore aujourd'hui, c'est rare. Près de dix fois, j'ai dû refaire mon chignon avant d'arriver à un résultat toujours bancal. C'est décidé, à Paris, je me fais couper les cheveux. Ah ah, comme si j'avais ce courage. Me couper les cheveux voudrait dire voir mon visage sous un angle nouveau, y déceler de vilaines choses – rides, poches, taches – qu'il m'arrange d'ignorer, qui pourraient me faire pleurer, attirer des questions chez ceux qui remarqueraient mes yeux rougis. Je ne tiens pas à me faire remarquer ici, d'aucune façon.

Petit déjeuner pris – heureusement seule pour une fois –, j'arpente le bateau. Le grand salon où une assemblée prospère se divertit en lisant, en jouant aux cartes, en discutant mollement. Le salon de coiffure où des rangées de femmes, des sortes de papillons argentés dans les cheveux, plaisantent sur les déboires amoureux d'une célébrité. Le gymnase désert, près du quartier des officiers, sans rien y voir de divertissant. La chapelle. Toujours le premier espace aménagé sur un paquebot, m'avait appris Alan. Comment savait-il ce genre de choses inutiles et plaisantes ? De même que la différence entre une mouette et un goéland. Le dernier mot de Proust sur son lit de mort. Comment retirer une tache de sang. La réplique de Mallarmé qui, ayant lu un sonnet devant quelques disciples admiratifs, les uns y voyant un coucher de soleil, les autres l'aurore, leur avait dit : « Mais pas du tout, c'est ma commode ! » Il riait tellement en me le racontant.

C'est aussi lui qui m'avait montré lors de la seule promenade qu'il m'avait concédée à Paris, la dernière fois que nous nous étions vus en paix, le deuxième pilier de Notre-Dame contre lequel Paul Claudel se tenait quand il avait eu sa révélation de l'existence de Dieu.

Qu'en était-il de sa foi à lui ?

Un jour, enfant, il était venu me chercher pour me mener au grenier. Il voulait me montrer un « trésor secret ». Je pensais à quelques pièces volées dans mon porte-monnaie, je me trompais. De ses petites mains, il avait péniblement ouvert un lourd tiroir en bois rempli de charançons, de scarabées, de têtards, d'escargots, des petites grenouilles, quantité d'autres bestioles mortes. Plusieurs avaient conservé leurs couleurs, lustrés comme s'ils étaient en vie, d'autres étaient racornis, desséchés comme des pruneaux. Une grenouille montrait les premiers signes de putréfaction. Je lui avais fait remarquer que si Dieu existait et voyait cela, il ne serait pas très content. Il s'était alors excusé et nous étions allés jeter son trésor dans l'étang. C'est tout.

Mon fils est mort et je ne suis pas capable de dire s'il croyait *vraiment* ou s'il croyait comme font les enfants et les femmes dans mon genre, qui ne veulent pas qu'il n'y ait pas quelqu'un là-haut pour nous protéger et rendre les choses belles.

Mon fils qui n'était pas sans défaut. Quand nous nous donnions rendez-vous, il avait la très désagréable habitude de ne pas rester là où vous aviez prévu de vous retrouver. Au lieu d'attendre, il partait aussitôt à votre recherche. Ce jour-là, à Notre-Dame, nous avions mis deux heures à nous retrouver. Mais tu n'étais pas là ! tapait-il du pied dans la cathédrale. Il avait fallu la surprise d'en-tendre le grand orgue pour qu'il retrouve son calme.

En chemin vers le pont supérieur, je remarque un petit salon-bibliothèque joliment décoré. Un lourd tapis rouge, des lampes en cuivre rosé, des banquettes en velours. J'y imagine très bien Clark

Gable avançant un Long Island à la main, son sourire mince, sa mèche impeccable. Je m'amuse à faire tourner un globe terrestre. Je l'arrête, je pose mon doigt en murmurant : « Je voudrais être là. » et je recommence. Plus vite, plus fort. Trois fois de suite, mon « là » s'est trouvé au milieu de l'Atlantique.

— Puis-je me permettre de vous donner un conseil ?

Je sursaute. Mrs Keating – la coiffeuse – est là derrière moi.

— Un conseil professionnel. C'est à propos de votre chignon.

— Oui ?

— Je pense que vous devriez le baisser un peu. Le faire partir de moins haut, enfin plus exactement de plus bas.

Il y a longtemps que les conseils des autres ne me sont d'aucune utilité, mais je la remercie tout de même.

— Je suis déçue de ne pas recevoir de courrier, pas vous ? embraie-t-elle. J'attendais des nouvelles de ma fille.

— Vous pensez à un facteur qui débarquerait tous les matins au beau milieu de l'Atlantique ?

Je lui passe devant et sors de la pièce. Elle me rattrape par le bras.

— Vous vous moquez de moi ?

Si peu.

— Ne vous inquiétez pas.

Je ne vois pas en quoi ma réponse en est une, mais elle a l'air de lui convenir car elle me sourit et part de son côté.

Un tournoi de tennis va commencer, mais finalement je préfère rester sur le pont. Certains contemplent la mer sans la quitter des yeux, d'autres évoluent avec une lenteur gracieuse faite d'ennui, de culpabilité, d'amour, de regrets, de bonheur et de hasards. Parfois, nous nous dévisageons. Une seconde passe – nous y répondrions si une question nous était posée, si la conversation s'engageait ? – et ça y est, nous avons déjà oublié leurs visages.

Je me perds dans l'observation de deux jeunes marins repeignant les supports des bateaux de sauvetage. Leurs gestes sont assurés et gracieux. Parfois ils se lancent une plaisanterie que je n'entends pas. Leur gaieté deviendrait presque contagieuse. Si leur jeunesse pouvait l'être aussi.

Une odeur de cigarette me sort de ma rêverie. Deux jolies femmes viennent de s'installer. Je suis la fumée qu'elles expirent de leurs narines, deux petites volutes qui tourbillonnent. Elles parlent sans doute de la vitesse du bateau, ou d'un couturier, d'un mari, du menu de midi, une bêtise qui me distrairait quelques secondes. Je me rapproche discrètement.

69

— Tu vois, Sylvia, tu mets des enfants au monde, tu te bats pour eux, tu essaies de les rendre courageux…

Elle inspire une bouffée. Où veut-elle en venir ?

— … et tu constates, en définitive, que ces hommes dont tu as tenté de faire des êtres droits sont exactement comme tous les autres. Toujours en train de trouver des excuses pour ne pas affronter le désordre qu'ils ont semé.

— Laisse-lui le temps à ton fils.

— Le temps, c'est ce qui nous manque à tous, ma chérie, fait-elle en écrasant sa cigarette d'un geste précis.

J'enrage qu'elle le sache, ce temps compté. J'enrage qu'elle ait un fils qui l'exaspère. Dans le couloir vers ma cabine, énervée et horriblement décoiffée, je croise Clara qui me demande si tout va bien. Je lui claque ma porte au nez. Je ne suis pas là pour me faire des amis. Je suis là car j'ai perdu mon fils unique il y a dix-sept ans et qu'en le perdant lui j'ai tout perdu.

10.

J'aperçois la vieille dame, seule sur le pont. Ses mains palpitent, comme occupées par une broderie imaginaire. A-t-elle remarqué ma présence ? Rien ne l'indique. Ses yeux bougent lentement, encore sous l'emprise de ses souvenirs de vieille dame comme cela nous rassure de croire. Nous savons si peu de choses au fond sur ce à quoi pensent les personnes âgées. Qu'éprouve-t-elle ? Se remémore-t-elle ceux qu'elle a aimés, les voyages qu'elle a faits ? Ou bien ne reste-t-il derrière ce visage pâle que des petites douleurs, une gratitude confuse lorsque le soleil brille, lorsqu'une voix s'adresse à elle ? Combien de temps me reste-t-il avant de lui ressembler ? Je m'installe à côté d'elle, pose ma main sur la sienne.

M'abandonnant au doux balancement du bateau, je vois apparaître l'ombre d'Alan. Que me ramène-t-elle aujourd'hui, quelle image, quelle odeur, quel souvenir ? C'était l'été. Mais encore ? Quel âge avait-il ? Il était grand déjà, presque un adulte. Ça y est, il est là. Je me lavais les cheveux en rentrant de la plage quand j'avais entendu le bruit d'un jet dans la cuvette. Je m'étais retournée et j'avais crié :

— Alan ! Tu es dégoûtant ! Je déteste ça !

— Oh, maman, ce n'est quand même pas la mort.

— Ça me révulse, ça me révulse, je répétais en secouant la tête, ce qui l'avait fait encore plus rire.

Il m'avait serrée dans ses bras, avant de sortir en sifflotant.

Il y a des morts qui sont encore vivants dans leur cercueil. Si j'ouvrais le sien, je retrouverais sa joie, ses sentiments intacts. Il me dirait encore Je suis libre, maman.

La main de la vieille dame a bougé. Sa tête hésite à gauche, à droite. Je me mets à dériver moi aussi, vers mes années de jeunesse, celles où je désirais si fort écrire, où je me cherchais un sujet, commençais mille histoires, jusqu'à ce que je comprenne que de toutes mes créations, mon fils resterait la plus belle.

Seule Elsie avait insisté pour que je continue.

— Tu es un vrai écrivain, Catherine.

Il lui avait suffi que je lui adresse quelques vers un jour en forme d'excuse pour ne pas me rendre à une de ses soirées pour qu'elle le prétende.

Reste le chagrin

Que disait ce poème déjà ? Ma sensation quand Alan était sorti de mon ventre que j'étais devenue plus humaine. C'est tout. C'est peu. J'aurais aussi pu lui dire qu'avant sa naissance il y avait une partie de mon cerveau qui ne savait pas se tenir droite, qui ne pouvait pas supporter le passage du temps, qui ne pouvait pas regarder et être regardée par la même personne tous les jours, mais qu'avec l'arrivée d'un fils cette partie s'était dissoute. Peut-être le lui avais-je dit, après tout. Je ne sais plus.

11.

S'il y a une qualité que j'apprécie chez les autres depuis la mort d'Alan, c'est leur capacité à se taire. Mais avec son art de relever les détails comme le geste mille fois répété de Keating pour aplanir ses boucles carotte, la façon dont Anna Rock, la femme au genou, sursaute chaque fois qu'on lui adresse la parole, comme un animal traqué, les jeux de foulard de Mrs Vanderbilt, Clara me ferait presque changer d'avis. Et c'est pourquoi cette après-midi, allongées sur nos transats, je me surprends à rester l'écouter quand, sans que rien ne l'annonce et encore moins ne l'y oblige, elle me tend une photo de son fils Steve. Un jeune homme à la moustache brune, comme on en voit par centaines dans les rues de nos villes, et même d'ailleurs.

— À toi, Catherine, je peux bien le dire. Si j'aperçois dans la rue un jeune homme qui lui ressemble, je le suis quelques minutes en me racontant que c'est lui.

Ça doit lui arriver souvent avec un physique aussi banal.

Elle sourit longuement dans le vide avant de me raconter. Steve était un jeune homme évidemment beau et brillant, évidemment épris de justice. Il faisait ses études d'architecte à Paris, suivant la trace de son père. Lui, grand alpiniste, construisait des cabanes dans le Colorado pour de riches hommes d'affaires se prenant soudainement pour de courageux montagnards, mais Steve, lui, voulait élever des immeubles, des ponts, des constructions utiles « faites pour durer l'éternité ».

— Cela faisait si longtemps que je n'avais pas parlé de lui, avait-elle fait en souriant dans le vide.

Pour autrui, le malheur a une date de péremption. En constatant que le désir de consoler l'autre ne semble pas agir, que rien ne change, les proches finissent par ne plus écouter.

En silence, nous suivons des yeux Anna Rock, la tête baissée non pour nous éviter, mais faute de remarquer notre présence.

— Si nous étions aimables, nous l'inviterions à nous rejoindre, observe Clara, une fois qu'elle est loin.

— Mais nous ne sommes pas aimables.

— Surtout toi.

Elle n'a pas l'air de plaisanter, elle.

— Je trouve son comportement très étrange, poursuit-elle. C'est peut-être un agent secret.

— Pas très plausible. Un agent secret saurait nager. Tu l'as vue l'autre jour à l'exercice d'évacuation. Elle ne savait même pas mettre son gilet.

— C'est vrai.

Après cet intermède, une gorgée de thé, elle poursuit. Steve s'était engagé dès l'annonce de la guerre.

— Tu ne l'as pas empêché de partir ?

— Non. À son retour, on lui aurait demandé ce qu'il avait fait tout ce temps et cette seule question aurait été un reproche. Au contraire, je suis très fière de lui.

Je ne dis rien. Elle me regarde non pas contrariée, mais attristée, l'air de dire Tu ne me crois pas ? Non, je ne te crois pas. Je crois que tu te caches derrière le masque de la grandeur d'âme, mais qu'au fond tu le maudis.

Je veux de nouveau jeter un coup d'œil à la photo quand je m'aperçois qu'elle n'est plus dans ma main. Je lève la tête et la vois qui disparaît sous un transat. Un coup de vent l'entraîne plus loin. Elle va s'envoler de nouveau quand une chaussure de femme vient la bloquer. Revenue sur ses pas, Anna Rock se baisse, la ramasse. Elle l'examine longue-ment, avant de passer son regard de Clara à moi, grimacer, tirer la langue. Le vent et la mer doivent lui être montés à la tête. Je m'apprête à me lever pour la lui prendre des mains quand nous la voyons s'approcher du parapet, l'agiter au-dessus de l'eau. Je bondis pour la lui arracher, elle s'éloigne en riant.

Clara me remercie d'une voix blanche et se plonge dans sa photo comme si elle la voyait pour la première fois.

J'attends. Rien ne presse. Il fait jour encore.

— Une balle dans le front. Le 16 avril 1916.

Comment l'a-t-elle appris ?

— Mon mari dormait encore. Je me souviens même que son livre était resté ouvert sur son torse, je l'avais refermé et posé sur sa table de nuit. Je préparais le petit déjeuner quand on avait sonné à la porte. Il était si tôt que je n'avais pas encore regardé la couleur du ciel. J'étais allée ouvrir, un homme en uniforme était là, devant moi. J'avais senti mes jambes se paralyser. Mon mari était arrivé derrière moi et m'avait empêchée de tomber.

Elle n'a pas les yeux hagards, mais brillants comme si les images qui lui revenaient, loin de l'assombrir ou de l'abstraire, la reliaient à la réalité, à aujourd'hui.

— Qu'as-tu fait après ?

— J'ai remonté la pente.

J'attends une suite, mais elle ne vient pas. J'ai remonté la pente, point. Est-ce une manière de vouloir paraître supérieure ? Non, elle semble sincère.

Il y a des gens comme ça qui s'ennuient dans leur malheur. Ils ne voient aucun intérêt, aucun prestige à souffrir.

Le bruit d'un transat que l'on tire vers nous nous sort de notre torpeur. Une femme étoilée prend soin d'épousseter son siège avant de s'assoir, et de bien disposer sa jupe. Les boucles de ses cheveux ne bougent pas d'un millimètre.

— Moi aussi, je me souviens très bien, commence-t-elle. C'était en septembre, il faisait beau. Je travaillais sur ma machine – je suis couturière – quand j'ai entendu s'ouvrir la porte du jardin. Par la fenêtre, j'ai vu un militaire qui portait une lettre. Moi aussi, comme vous, j'ai tout de suite compris. J'ai donné un coup de poing sur ma machine avec une telle violence que le bois s'est fendu. Mes deux petites filles en sont restées traumatisées.

— Mais elles étaient là et elles vous aimaient.

Je ne sais pas pourquoi je le dis, mais me taire ne me paraît pas mieux convenir.

— Oui, mais cela n'empêche pas le chagrin.

Avant, ce mot de chagrin, quand je l'entendais, que je le prononçais, je le retournais dans ma bouche comme un noyau aux contours rugueux, mais tout de même assez petit pour se laisser avaler. Malheureusement le mien est resté coincé. J'ai essayé de le vomir avec deux doigts dans la gorge, en fumant, en toussant, je le sens toujours.

Clara se tourne vers moi.

— Et toi ? Ton fils ?

Ce sourire, sa douceur me troublent. Je m'étais mis en tête de me taire, c'est plus difficile que je n'imaginais.

— Comme tu voudras, Catherine. Ne dis rien. Mais sans eux, que serions-nous ?

— Mais nous sommes sans eux !

— Non ils vivent là, me répondent-elles de concert en désignant leur cœur.

Ce genre de poésie m'exaspère. Et comme il n'y a plus rien à dire, je m'en vais.

12.

Quand je ferme les yeux, je le vois exactement comme cette nuit-là, à Saint-Paul-de-Vence. En allant chercher un verre d'eau, je l'avais trouvé assis à la table de la cuisine, écrivant. C'est ainsi que je me souviendrais toujours de lui, avais-je pensé. Mais cette image exacte de mon fils, je n'avais pas besoin de la stocker quelque part, je partirais évidemment avant lui.

— Je t'ai réveillée, maman ? m'avait-il demandé. Je fais trop de bruit ?

— Non, mon ange.

J'avais embrassé son front et étais remontée me coucher. J'étais restée éveillée tout le reste de la nuit à me demander comment je pouvais être aussi certaine de partir avant lui. Le lendemain matin, je m'étais levée absolument convaincue du contraire :

mon fils partirait avant moi. Et malgré cette certitude, je n'avais pas su le garder. Il était parti et il était mort.

Une visite de la salle des machines est organisée pour nous distraire. Je m'attendais à des fourneaux ardents, des turbines, des hommes à demi nus noircis par la suie, une chaleur, un vacarme épouvantables, c'est exactement ça. C'est exactement ça et c'est autre chose encore. Derrière les parois de métal vivent et prospèrent des poissons à tête de monstre, des pieuvres, des requins. Je toque discrètement. Hé, je suis là, moi aussi. Je suis là dans le ventre du bateau. Seul le silence me répond. Je recommence un peu plus fort. Personne ne me voit, le groupe est loin devant. Des images de gouffres sans fond, de mains gantées qui m'attrapent par le pied me collent au cerveau. J'ai chaud. Pas un hublot pour prendre l'air. Je rattrape le groupe quand la vision d'Anna montée en haut d'une échelle, son sac serré contre elle, me stoppe net. Carol l'aperçoit au même moment, pousse un cri. Un marin se précipite, la saisit par la taille et la redépose sur le sol comme une plume. Carol tremble encore après qu'Anna se soit perdue dans la contemplation d'un nouveau boulon. Je pose la main sur son épaule. La visite s'achève. Un jeune mousse nous tend une serviette blanche pour nous essuyer les mains, comme si nous avions contribué à quelque travaux salissant.

Anna a perdu son fils explosé par un obus dans la forêt d'Argonne. Son mari est mort un an plus tard, écrasé par un camion. Carol me le révèle tandis que nous avançons vers le fumoir où un thé nous a été servi.

— Je vous la confie quelques minutes, me glisse-t-elle à l'oreille en approchant deux fauteuils l'un contre l'autre.

Elle disparaît, me voilà coincée. Je me tourne vers Anna. Que pourrais-je bien lui raconter et le faut-il ? Je m'efforce de lui adresser un sourire qu'elle ne me rend pas. Je la comprends, il n'aurait rien voulu dire.

Le troupeau s'est naturellement divisé en deux. Les mères d'un côté et les épouses de l'autre. Je voudrais leur trouver quelque chose de particulier, repérer une différence d'avec nous, autre que celle de l'âge, mais je n'en vois aucune. Je ne peux pas dire qu'elles ont l'air plus tristes ou moins tristes, alors qu'elles le sont évidemment moins. Leur mort, elles l'ont remplacé ou vont le faire en tombant amoureuse du voisin, du frère, de l'amant. Un enfant, ça ne se remplace pas. Même pas par un autre enfant.

— Mon fauteuil est coincé, fait Mrs Vanderbilt à côté de moi. Pouvez-vous dire à Mrs Troake de se pousser un peu ?

Mais pourquoi ne s'adresse-t-elle pas à moi directement ? Après un brusque mouvement, elle se lève, s'avance dans le cercle, le cou en avant. On dirait un paon qui s'apprête à déployer sa queue.

Elle s'éclaircit la voix.

— Mesdames… chères amies…

Mais pour qui se prend-elle soudain ?

— Je savais que pour propulser un navire de cette taille, il fallait une sacrée machine de guerre, mais ce n'est qu'en le voyant qu'on se rend compte de l'immensité de la chose !

Le troupeau hoche la tête.

— Nous vivons une époque de progrès formidable, poursuit-elle en lançant une pointe de son foulard sur l'épaule. Les découvertes en matière d'automobiles sont quotidiennes, le cinéma sonore a vu le jour.

— Le rasoir électrique, aussi.

— La conquête du pôle Sud.

— Le vaccin contre le tétanos.

— Les balances pour calculer son poids.

— Les réfrigérateurs…

— Malheureusement mesdames, nos fils, nos maris n'auront jamais profité ou si peu de ces révolutions.

Les femmes émettent de petits bruits de gorge, certaines reniflent. C'en est trop pour moi. Il doit bien y avoir un prétexte pour quitter la pièce, une alarme à tirer quelque part. Je souris malgré moi, Mrs Vanderbilt m'adresse un regard noir.

— C'est leur sacrifice. Et c'est le nôtre.

— Et nous en sommes fières, renchérit Mrs Hartfield, tendant son bras courtaud pour saisir sa tasse de thé.

— Oui, nous en sommes fières.

— Tout à fait fières.

Gagnées par une sorte de frénésie, elles enchérissent les unes sur les autres, se montrent des photos, ferment les yeux comme pour mieux s'écouter ou se souvenir, se tapotent la main, sortent une carte de leur sac, cherchent tête contre tête le nom d'un village, d'une bataille – Artois, Verdun, Flandres. Mais à leur manière de faire, légèrement théâtrale, je vois à quel point elles s'en sont remises douze ans[1] après pour la plupart. Elles n'ont pas oublié, mais le temps a fait son œuvre. Pas chez moi. Mon chagrin date de quelques jours à peine. Ou justement non, il ne date pas.

Une main se pose lourdement sur mon épaule.

— Et vous Mrs Troake, votre fils ?

À son air agacé, je comprends que ce n'est pas la première fois qu'elle me pose la question. Prise de court, j'émets un petit rire muet. Comment lui dire qu'Alan était mort le matin même de son arrivée sur le front, dans les premières minutes.

---

1. L'entrée en guerre officielle des États-Unis en avril 1917.

— Et vous ? insiste-t-elle.

L'histoire impose des vainqueurs, pas de jeunes hommes soi-disant bien nés qui vont à la rencontre de la mort en courant.

— Moi, rien.

Avec autant d'à-propos que si nous étions dans un film, Carol revient. Je me lève, je les laisse à leurs héros.

13.

Clara a recouvert son lit d'une étole en cachemire, glissé un éventail au coin d'une marine, aligné des flacons sur la coiffeuse. Si les meubles n'étaient pas fixés au sol et aux murs, elle en aurait changé la disposition. Mais pour combien de temps s'envisage-t-elle donc sur ce bateau ?

— J'ai vu que nous avions la même, fait-elle en me désignant une robe dans sa penderie. Si je t'ai demandé de venir, c'est pour savoir si ça t'ennuie que je la mette ce soir ?

Sans attendre ma réponse, elle se déshabille sous mes yeux, comme une enfant ou une amie, dévoilant un corps svelte avec de jolies rondeurs.

Postée devant moi, les mains sur les hanches, elle attend mon avis. Cette robe lui va bien mieux qu'à moi. Je l'avais achetée la veille du départ, dans un magasin où je ne vais jamais. C'est pourtant le genre d'erreurs que je ne commets pas, choisir vite et mal.

Avec les vêtements en tout cas.

Je l'applaudis, je lui souris, elle a compris.

Elle s'assied sur son lit.

— Tu es mariée, Catherine ?

— Divorcée.

— Pourquoi ?

— Sait-on pourquoi on ne s'aime plus ?

— Un peu facile comme réponse.

— C'est la mienne pourtant, je réponds plus sèchement que je ne l'aurais voulu.

Pour couper court à la conversation, je m'approche de sa penderie restée ouverte. Couturiers français, joli choix de matières avec chaque fois un joli détail – un bouton, une broderie, un liseré.

— Ce que j'aime avec toi, Catherine, fait-elle dans mon dos, c'est que tu donnes l'impression de ne jamais faire d'effort.

— C'est vrai, je n'en fais aucun.

Je ne vais pas le lui dire, mais ça me coûte parfois. Des relents de bonne éducation.

Elle se laisse tomber en arrière sur le lit, les bras au-dessus de la tête.

— Si tu savais tout ce que j'aimerais faire pendant ces trois jours à Paris. Les maisons de couture, les musées…

— Ils ont dû prévoir un programme pour nous en empêcher.

— Pourquoi dis-tu ça ?

Je voudrais lui rappeler que le tourisme n'est pas le but de ce voyage, mais j'ai peur de paraître plus vieille bique que je ne le suis déjà.

Je hausse les épaules.

— Tu te trompes, je me suis renseignée. Carol n'a rien voulu me dévoiler avant la réunion, mais elle m'a garanti que nous aurions de grands moments de liberté.

Elle saute de son lit, met une goutte de parfum derrière chaque oreille.

— Allons discuter de cela devant un verre.

Dans le temps, l'espace des quelques pas qui me séparent de la porte, je revois Alan à Paris apprêté pour rejoindre ses nouveaux amis.

— Regarde-moi, maman. Je suis beau.

— Pourquoi plus aujourd'hui que les autres jours ?

— Pour que tu t'en souviennes. Un jour, je serai vieux et laid.

Si seulement.

Des robes de taffetas entrent, cherchent quelqu'un, ressortent.

Tout le monde sourit, se serre la main, se tape dans le dos, éclate de rire. Le centre du monde est ici, ce soir, se disent-ils. L'horizon n'est fait que de progrès. Les conflits seront à jamais abolis et la paix régnera désormais sur terre.

À côté de nous, un monsieur dégarni, le visage crispé de celui qui ne pense qu'à l'argent. D'une voix impatiente, il réclame son whisky.

— Oh là là, tous ces gens pressés alors qu'ils n'ont rien à faire. Les hommes n'ont pas idée de leur bêtise.

— Vous n'avez pas idée à quel point ! me lance Cornelia Schrimp qui passait par là et m'a entendue.

De quoi se mêle-t-elle ? Son visage prognathe, son maquillage excessif, son parfum, sa façon de secouer sa mèche en arrière, de s'humecter les lèvres créent quelque chose de trouble qui m'empêche de la regarder dans les yeux. C'est pour des femmes comme elles que des maris deviennent fous. Je dis ça comme si j'en savais quelque chose. Je n'ai jamais été trompée, et ce n'est pas faute de l'avoir souhaité. De l'inconvénient d'avoir épousé un protestant.

— Joignez-vous à nous, lui propose Clara.

Oh non pitié, pas elle.

Son regard balaie le salon, s'arrête sur un homme au bar.

— Le grand aux cheveux gris là-bas, vous croyez qu'il voyage seul ?

— Aucune idée.

Il doit deviner qu'on parle de lui, car il se tourne vers nous. Cornelia se cambre, redresse une mèche.

— Je sens que oui, qu'il y a quelque chose à tenter là.

Nous la regardons avancer vers lui, entreprendre la conversation, faire mine de s'étonner, rire trop fort, toucher accidentellement sa main quand elle va pour prendre son verre. Quelle mascarade.

— Pourquoi n'es-tu pas plus aimable avec elles ? fait la voix de Clara à côté de moi.

— Elles ? Qui ça, elles ?

— Les autres femmes. Elles t'aiment bien, tu sais.

Rien ne pouvait me faire moins plaisir. Je réfléchis à une réponse mais, à part recommander un verre de chablis, rien ne me vient.

Nos regards se portent sur nos nouveaux voisins. La quarantaine, texans à leur accent et à leur mise, lui très poilu, elle un peu forte, le visage mou. D'autorité, il commande deux portos avant de plonger dans son journal. Quand sa femme approche la main du bol de cacahuètes, il baisse vivement son journal en lui faisant les gros yeux.

— Le secret des couples réussis est peut-être là, observe discrètement Clara.

— Où est ce « là » ?

— Il y en a toujours un qui doit avoir le dessus sur l'autre.

— Tu as l'air d'en savoir quelque chose.

— Oui j'ai un mari, même si nous ne vivons plus ensemble.

— Divorcée ?

— Non, il végète dans une maison de repos.

— Depuis la mort de votre fils ?

— Non avant. Des problèmes avec ses affaires, les montagnards se sont mis au golf. Mais il est bien là-bas. Il n'a jamais été quelqu'un de très actif. Des infirmières, des arbres, des petites pilules qui font dormir, et surtout plus d'épouse à combler et à ne pas décevoir, que du bonheur.

Je ne me sens pas le devoir de commenter, elle d'épiloguer sur cette insoluble question du couple, de l'amour, comme si souvent les femmes entre elles, alors que je n'ai aucun doute qu'elle s'y connaît, et bien mieux que moi même – surtout ? –, avec un mari à l'asile.

Le général passe une tête, s'éclipse. Puis, c'est au tour de Mrs Vanderbilt de faire son apparition. M'ignorant ostensiblement, elle traverse le salon, impériale. Ça n'est sûrement pas elle qui se serait jetée par la fenêtre, comme tous ces spéculateurs s'éjectant des grands immeubles de Wall Street en cette sombre matinée d'octobre. Ce n'est pas elle qui aurait voulu rejoindre son fils dans sa tombe.

Mais où l'ai-je donc rencontrée ?

Nous recommandons un verre quand entre Anna, seule, le chapeau de travers, les pieds en dedans, l'air d'avoir été projetée directement d'une nacelle dans les airs. Elle procède à un tour d'inspection des lieux, détaille les tableaux, les boiseries, les bouteilles alignées derrière le bar, le contenu des verres des passagers, avant de venir se planter devant nous.

— Ne peut être perdu celui qui ignore où il va.

Nous la dévisageons sans comprendre. J'aimerais pourtant. Ce n'est pas seulement sa fragilité qui m'émeut, c'est l'intuition qu'il reste intact dans sa brume intérieure, une petite zone noire et palpitante logée au fond du cœur, une zone qui me parle à moi aussi.

Ivy Dorothy arrive, échevelée.

— Je vous cherchais Anna. Venez faire une dernière promenade sur le pont avant le dîner.

— Non.

— Alors allons admirer le ciel. Il nous est un éternel réconfort.

Cette femme serait décidément mieux au couvent.

— Ah bon ?

— Si, je vous assure.

Finalement, Anna s'accroche à son bras.

— À ta place, j'aurais eu peur, me fait Clara quand elles se sont éloignées.

— Peur de quoi ?

— Tu étais celle qui était le plus près. Elle aurait pu t'étrangler.

— Mais non, elle est juste un peu cinglée.

— Un peu cinglée ? Tu veux que je te rappelle ce qu'elle a voulu faire avec ma photo ?

C'est justement depuis ce moment-là que je sais que nous ne sommes pas si différentes elle et moi.

— Elle ne l'a pas fait, c'est tout ce qui compte.

— Tu es bien tolérante pour une fois.

Elle m'adresse un regard inquisiteur.

— Tu sais quelque chose sur elle ?

Je lui répète ce que m'a appris Carol. Son mari écrasé par un camion, son fils explosé par un obus.

— Et toi ?

— Quoi moi ?

— Comment ton fils est-il mort ?

Alan est mort de mille façons. Il est mort tous les jours et même plusieurs fois par nuit pendant seize ans.

— On ne peut pas parler aussi facilement de choses aussi graves.

— Je le fais bien moi. Nous le faisons bien toutes sur ce bateau.

— *Je* ne peux pas parler aussi facilement de choses aussi graves.

— De toute façon, je sais tout, fait Clara.

— Tout quoi ?

— Carol m'a raconté. Ton fils s'est engagé, il est mort dans les premiers jours.

— Tu ne sais donc rien.

Le soir tombe. Soudain, le ciel et la mer s'embrasent, scintillent rouge, jaune et or, des myriades de particules étincelantes envahissent le salon. Cela a duré deux ou trois secondes peut-être, mais il me semble aussi beaucoup plus longtemps.

— C'est vrai, je ne sais donc rien, répète Clara.

14.

Elle ne sait pas qu'un jour, face à la fenêtre de ma chambre, Alan m'avait demandé :

— Peux-tu faire comprendre à papa que j'aimerais aller en pension en Suisse ?

— En pension ? En Suisse ? Mais pourquoi !

Jamais nous n'avions parlé de ce projet.

— Kate et Alice y sont bien elles.

Cela n'avait rien à voir. Je les revois partir, leurs airs soulagés. Quelques jours auparavant, Alan avait demandé à Alice de poser au bord de notre étang. Gardienne des nénuphars, voulait-il intituler son tableau. Au bout d'un moment, elle avait senti ses talons s'enfoncer dans la terre. Elle avait essayé de cacher ses vacillements, mais son pliant avait lâché. C'est son père qui en entendant ses cris était venu la sortir de là. Elle avait avalé beaucoup d'eau, il avait fallu appeler le médecin, l'emmener à l'hôpital, pendant qu'Alan hurlait de rage sur la berge. C'est après cet épisode qu'elles avaient demandé à partir en Europe.

— Ton père a raison, tu es trop jeune.

Il s'était tourné brusquement vers moi.

— Ce n'est pas la raison qu'il dit.

— Ah oui ?

— Il dit que tu ne seras pas d'accord.

Il s'était approché de moi, avait posé sa joue sur la mienne.

— S'il te plaît, maman.

Dans son regard, je voyais l'imploration voilée par la tristesse et la lucidité.

— Jamais.

C'est à la suite de cette scène que j'avais eu l'idée de ces vacances fatales en France.

Une lettre m'attendait à notre retour sans lui à Long Island. Il regrettait déjà ? Il voulait rentrer ? Il fallait lui envoyer de l'argent ? Il préférait que je vienne le chercher ?

Maman,

Quand tu liras ces mots, tu ne m'aimeras plus. Et même, tu me détesteras.

Tu ne sais pas le courage qu'il va me falloir dans quelques minutes pour t'annoncer que je ne rentrerai pas avec vous.

Reste le chagrin

J'ai peur de ne pas pouvoir te résister. Je ne sais toujours pas te dire non après tant d'années à tes côtés. Mais Seeger m'aide à en trouver la force.

Je reviendrai, n'en doute jamais.

Ton fils.

J'avais vérifié le cachet de la poste. Cette lettre, il l'avait écrite avant de me céder, avant de se raviser, avant de se jeter dans l'eau pour attraper une main qui n'était pas la mienne. C'était trop insupportable, trop inutile de penser à cela, alors ce serment de revenir, c'était tout ce que j'allais retenir.

La vie avait repris dans l'attente de ses lettres. Il me racontait Seeger, son élégance, son talent à discerner le cœur d'une question quel qu'en soit le sujet, sa générosité, son sens de l'absolu, son courage. Seeger, Seeger, Seeger.

Mais il me racontait aussi la vue sur la Seine depuis sa chambre sous les toits prêtée par la cousine de mon mari, son premier poème publié dans une revue littéraire. Il me racontait la pluie qui dans cette ville agissait comme une suspension du temps. Il me racontait ses soirées au Flore, les femmes au rouge à lèvres sang. Il me racontait Isadora Duncan, dansant sur les tables parmi les roses et les bouteilles de champagne jusqu'aux lueurs du jour. Je voyais son écriture changer, se redresser, s'affermir.

Mais, un an plus tard, il n'était plus question de champagne et de roses, de rouge à lèvres et de pluie, ses lettres me racontaient les frémissements de la guerre. Comment Seeger, ses amis et lui se réunissaient pour discuter des nuits entières dans des arrière-salles de cafés. Comment Paris, mystique, éternelle, à qui ils devaient les moments les plus heureux de leur vie, était en péril. Combien la neutralité des États-Unis les choquait.

Je suppliais Alan de garder ses distances, d'arrêter de se gargariser de ces mots de « liberté », de « justice », de « patrie ». Je lui confiais que lorsqu'il était enfant, il m'arrivait d'avoir subitement les larmes aux yeux rien qu'à l'imaginer dans la cour de son école, avoir à se défendre contre ses petits camarades, riposter, encaisser les coups, pleurer sa peur, m'appeler au secours.

Pour toute réponse, il m'avait envoyé une photo de lui, visage fier, au milieu d'un groupe d'amis, parmi lesquels une jolie jeune fille regardant vers le ciel. Je lui avais demandé si c'était celle qu'il aimait. Non maman, je n'ai pas le temps pour ça.

Mais le temps, il l'avait pour me répondre, quand je le suppliais encore de rentrer, qu'il était libre, que c'était sa vie. Qu'il défendait des *valeurs*.

Le temps, il l'avait pour vouloir me convaincre que cette guerre s'achèverait très vite par des accords, par des fanfares.

Le temps, il l'avait pour se rendre une après-midi au coin du boulevard Haussmann et de la rue Laffitte, où sur une table de bistro, un certain Blaise Cendrars faisait signer des formulaires d'enrôlement.

Le temps, il l'avait pour se réjouir que le gouvernement français ait promulgué le décret qui permettait aux étrangers de s'engager dans la Légion étrangère, et se moquer de la menace de la déchéance de leur nationalité.

Le temps, il l'avait pour se faire prendre en photo défilant dans les rues de Paris, brandissant la bannière étoilée. Sous le regard de défi, je l'avais vue moi la fausse certitude de ne pas se tromper.

Le temps, il l'avait pour ne plus me répondre, quand je l'implorais de ne pas partir se battre, lui certifiant que de ces choses-là on meurt, d'une manière ou d'une autre.

Ne pouvant compter sur son père qui, tout ce temps, affichait le masque buté de la confiance, je m'étais décidée à aller voir la mère de Seeger, dans leur maison sur les coteaux de Staten Island. Son visage s'était allongé et comme grisé. À elle aussi, son fils causait des nuits blanches. Nous allions nous comprendre.

Je lui avais emboîté le pas vers son salon. Ici, j'avais dansé dans des robes dorées, j'avais bu du champagne dans des coupes plus grandes que des rince-doigts, je m'étais exclamée en croisant des femmes sans savoir qui elles étaient, j'avais plu à mon mari et pas qu'à lui.

Elle avait dû deviner à quoi je pensais car elle m'avait dit tout en avançant :

— Nous menons une vie très calme maintenant et tant mieux. Quelle corvée, je l'ai toujours dit, ces réceptions.

Nous nous étions installées dans son jardin. C'était ici que nous nous étions vues la dernière fois, du temps où nous étions encore amies, que nos enfants étaient encore enfants, et alors que rien ne l'annonçait, à peine un vague ennui à l'écouter parler de son fils, elle s'était sentie autorisée à me dire :

— Tu dois apprendre à être juste, Catherine.

— Juste ?

— Tout tourne toujours autour d'Alan. Tu ne fais que penser, t'occuper de lui.

Cela se voyait donc tant, moi qui prenais pourtant si souvent sur moi ? Personne ne pouvait savoir toutes les fois où j'avais retiré ma main tendue vers ses cheveux pour en effleurer la douceur. Personne ne pouvait m'avoir vue sur le palier de sa chambre, sans entrer, le regardant dormir. Personne ne pouvait s'être rendu compte que je lisais ses livres avant lui pour savoir ce à quoi il pensait, quand il les refermait.

J'étais partie en claquant la porte.

Et cette après-midi-là, toutes ces années après, nos fils soi-disant devenus adultes, j'étais de nouveau là, à lui parler.

— Nos fils ont une telle chance d'habiter Paris, avait-elle fait en me servant elle-même une tasse de thé. Sais-tu que le musée du Louvre s'agrandit d'une nouvelle aile ?

— Je ne suis pas venue pour ça, Elsie.

— Je t'écoute.

— Ton fils a une terrible influence sur le mien.

Son visage s'était fendu d'un sourire triste.

— Ce ne sont plus des enfants, Catherine.

— Ton fils est l'aîné. Dis-lui d'arrêter de vouloir entraîner le mien.

— Entraîner où ?

— Ne fais pas exprès de ne pas comprendre.

— C'est leur choix et je le respecte.

— Tu dis ça comme si ton fils t'annonçait qu'il est homosexuel.

Je me souvenais de lui comme d'un enfant assez laid, plutôt silencieux, observant des heures depuis ce même jardin, donnant sur le pont de Brooklyn, les grands vapeurs pénétrer en procession dans la baie. Il connaissait leurs noms par cœur et les apprenait à Alan qui courait les répéter de sa petite voix dans mon oreille Souviens-t'en pour moi, maman. Il s'était ensuite pris de passion pour les pompiers. Pour le rouge de leur costume et parce que leur camion brille. Elsie me racontait qu'il se mettait subitement à courir derrière quand il en voyait passer un, au risque de se faire écraser.

— Nos fils ont choisi de faire leur vie là-bas, avait-elle poursuivi sans relever. Ils ont l'obligation morale de partir se battre. Une obligation pas moins forte que celle de leurs camarades français qui sont liés eux par la loi.

— Et cette haine qui les agite ? N'est-ce pas un poison pour leur âme ?

D'où me venait ce lyrisme ridicule ?

— Poison ? Mais de quoi parles-tu, Catherine ? Alan et tous les autres ne veulent pas prendre les armes par haine des Allemands ou de l'Allemagne, mais par amour pour la France et pour défendre des *valeurs*.

Je n'en pouvais plus de ce mot. Il me donnait la nausée.

— Oui, ne me regarde pas comme cela. Des idéaux si tu préfères, à moins que tu ne saches pas ce que ce concept signifie quand il concerne autre chose que ton fils.

Elle m'avait désigné la statue de la Liberté de sa fenêtre.

— C'est pour elle qu'ils sont là-bas.

— Tu dis n'importe quoi ! Je te préviens Elsie, je te préviens…

— Tu me préviens de quoi, hein ? Tu peux me dire ? Tu as toujours été folle de ton fils. Folle à lier, folle à faire le malheur autour de toi. Ton mariage, tes filles.

— Arrête ! Si tu savais ce que ton fils fait là-bas, m'étais-je entendue lui lancer.

Son regard avait glissé vers la bouteille de scotch sur une desserte de la terrasse. Elle était allée l'ouvrir d'une main faussement nonchalante.

— Je t'écoute.

Prise dans mon mensonge, je m'étais mise à raconter n'importe quoi, la drogue, l'alcool, les errances jusqu'au petit matin. Tout ce que j'aurais rêvé de voir. Pendant trois jours, tandis qu'Alan réfléchissait s'il rentrait ou pas avec nous, je l'avais suivi, et je n'avais rien trouvé pour le convaincre de s'en méfier. Son seul défaut était d'être en perpétuelle représentation, en sortant de sa chambre sur les jardins de Cluny, en marchant dans la rue, en observant un immeuble, un arbre, un oiseau, une crotte de chien, en entrant dans un café et même, je l'aurais parié, durant son sommeil. Sa vie semblait une composition savamment orchestrée pour briller, pour séduire, mon Alan comme tous les autres.

Tandis que je continuais d'inventer – il vomissait au pied d'un arbre, il s'enfuyait d'un restaurant sans payer, il rentrait dans des hôtels de passe avec des femmes de mauvaise vie –, Elsie hochait la tête pour me dire à la fin :

— Péchés de jeunesse…

— Péchés de jeunesse !

Je m'étais retenue de la gifler. Elle s'était levée brusquement et m'avait entraînée vers la porte.

— Aimer c'est savoir qu'un jour l'autre va partir, avait-elle fait doctement sur le palier.

— Oui, peut-être, sans doute, je ne sais pas, je ne sais plus, mais pas à la guerre !

— Faisons-leur confiance, Catherine. Ils reviendront changés, mais ils reviendront.

— Comment peux-tu en être sûre ?

— Je n'ai pas le choix.

La porte avait claqué derrière moi.

J'étais rentrée, j'avais crié, j'avais pleuré. Et pour finir j'avais adressé une nouvelle lettre à Alan, celle qui resterait la dernière.

Alan,

Retourne tes yeux au-dedans de toi et quand tu auras outrepassé la vision de toi, le fusil à la main, alors tu ne verras... plus rien ! Tu seras mort et ta mère aussi.

Il n'avait plus écrit. Le fil s'était rompu. Je m'étais mise à faire toutes les nuits le même cauchemar. J'étais au volant d'une belle voiture. Je ne savais pas conduire, mais le volant, les pédales m'obéissaient. Sur le siège passager, Alan plaisantait, me souriait, m'embrassait, mais je parvenais à rester concentrée. Au bout d'un moment, la route commençait à fondre. Il continuait de rire, mais je savais que nous allions tous les deux mourir là, asphyxiés par le goudron. Je me réveillais en sueur, son rire terré dans mes oreilles, qui me laissait au matin tordue et prostrée.

Un mois plus tard, nous recevions une photo de lui en uniforme, avec écrit au dos « Pensez à moi », rien d'autre. Alors cette fois quand même, j'avais vu quelque chose passer sur le visage de son père. Une ombre, une crispation de la mâchoire. Mais moi, je n'avais rien montré. Je n'avais pas crié, pas pleuré, pas discuté. J'avais décroché le téléphone, j'avais composé le numéro de la Cunard, j'avais demandé quand partait le prochain paquebot vers la France, j'avais réservé ma place sur le *Mauretania* pour le lendemain et j'avais fait ma valise sous les yeux de mon mari et de mes filles qui depuis des mois n'en pouvaient plus de moi, de mes larmes, de mes gémissements.

15.

Clara triture une rougeur sur le nez, Anna joue avec son fermoir, Mrs Hartfield sauce son assiette avec du pain, ce qu'elle s'est toujours retenue de faire jusqu'à maintenant, Mrs Vanderbilt la regarde, accablée, Keating tourne autour de son doigt un ruban de ses cheveux. Je me demande comment elle parvient à faire tenir une coiffure aussi élaborée. En plus de tonnes de laque, il faut un réel talent. Surtout avec le bras en écharpe. Le métier, j'imagine. Je l'entends discuter économie avec Cornelia. Enfin elle fait mine de comprendre ce que raconte Cornelia. Jusqu'où va se nicher l'ambition de paraître plus intelligent qu'on n'est. Sa manière de parler, tantôt lyrique, tantôt candide, essayant de nous entraîner dans des directions inconnues même d'elle-même, est de plus en plus confuse et agaçante. Cornelia n'a pas l'air de s'en rendre compte ou peut-être qu'elle s'en fiche.

Mon attention se disperse sur les autres passagers, les heureux. Un homme chauve, tenaillé par la faim, salive en attendant son assiette, une femme coiffée à la Pompadour cherche des yeux une personne qui n'arrive pas, un vieil homme grimace dans sa barbe noire, fouille sa poche, en sort soulagé son étui à lunettes…

Quand mon regard croise un des leurs, j'y retrouve toujours ce même sentiment mêlé de pitié et d'estime. Aucun ne nous parle. Ils nous voient passer, c'est tout. Nous ne sommes rien. Ce sont nos morts qui existent à leurs yeux. La mort plus forte que la vie, ah quelle découverte.

J'entends Keating poser une question à Cornelia.

— Au fait, vous avez des enfants ?

— Mais enfin, elle est restée mariée un mois ! je m'agace. Nous nous connaissons toutes un peu, maintenant.

— Un mois, ça suffit. On a largement le temps de faire sa petite affaire.

Un silence gêné passe au-dessus de la table.

— Mesdames, ne prenez pas ces airs désolés, fait Cornelia en souriant. J'étais très amoureuse, mais avec le recul, je sais que nous n'étions pas faits l'un pour l'autre. Les hommes qui m'attirent aujourd'hui n'ont rien à voir. Des mauvais garçons, égoïstes et flambeurs.

Mrs Vanderbilt lève les yeux au ciel. Mrs Hartfield attaque son assiette comme si on n'allait plus rien lui servir jusqu'à notre arrivée.

— Ne faut-il pas justement être un peu tout cela à la fois, mauvais garçon, égoïste et flambeur, pour partir faire la guerre quand personne ne vous y oblige ? réplique Clara.

— Mais enfin, mesdames ! s'écrie Mrs Vanderbilt en tapant du poing sur la table.

Mrs Hartfield entoure son assiette pleine de raviolis aux cèpes, de ses grosses mains.

— Vous semblez oublier la nécessité de défendre le droit, la liberté et la démocratie, les fondements de la puissance des États-Unis !

— Mesdames, mesdames, nous supplie Ivy Dorothy, les mains jointes. Nous ne devons pas oublier que nous sommes ici dans un esprit de paix, de respect. Quelles que soient nos différences, enfin *vos* différences…

Oui, je préfère, elle n'a perdu personne, elle.

— … vos différences, vos histoires respectives, mais dans un esprit de vérité, de sincérité…

Elle va où comme ça ?

— … de sincérité, de… comment dit-on ?

Le mot qu'elle cherche est authenticité. Personne ne vient l'aider. Si, les serveurs apportant nos desserts ce dont elle profite pour changer de sujet.

— Une tempête est prévue pour cette nuit.

— Il y a des risques ? s'inquiète Keating.

— Qu'entendez-vous par des risques ?

— Pour le paquebot ?

— Non, nous ne craignons rien.

— C'est sans doute ce que se sont dit les gens du *Titanic* en montant à bord.

— Le *Titanic* a rencontré des icebergs, Mrs Keating. Cela n'a rien à voir avec une vague tempête.

— N'empêche, je sais déjà que je ne vais pas fermer l'œil.

— J'irai vous chercher un petit calmant après le dîner, si vous voulez.

— Oh c'est gentil.

— Celui qui donne doit remercier celui qui reçoit de la possibilité de donner.

— On ne vous en demande pas tant, se moque gentiment Clara.

Ivy Dorothy se mord la lèvre.

— Ma mère nous le disait à mes sœurs et moi. Cela m'a échappé. Je voulais être gentille, rien de plus.

— Nous savons bien, ne vous fâchez pas.

— Mais je ne me fâche pas.

— Qui est fâché ? questionne Keating.

— Mais personne !

Le regard d'Ivy Dorothy se perd sur les autres tables, puis revient vers nous.

— Vous avez là une bien jolie coiffure, félicite-t-elle Keating. Vos clientes ont bien de la chance de vous avoir.

— Merci, répond-elle mollement.

— Vous venez d'où déjà, Mrs Keating ? intervient Clara.

Une manie chez elle que cette question. Toutes, nous y avons eu droit.

— D'un lieu que vous ne connaissez pas.

— Excusez-moi. Je ne voulais pas être indiscrète.

— Vous ne l'êtes pas. Je dis juste la vérité. Personne ne sait où se situe Cascabel. Surtout des femmes comme vous.

— Des femmes comme nous ?

— Comme vous et votre amie, Mrs Troake. Des femmes supérieures, qui portent des bijoux, des robes qui leur vont, mangent du caviar au petit déjeuner.

Mrs Hartfield émet un petit rire derrière son cure-dents.

— Cascabel se situe au Texas, c'est ça ? hasarde Ivy Dorothy d'une voix nerveuse.

— Au sud de l'Arizona. On y trouve trois boutiques, deux saloons et mon salon de coiffure, rien d'autre. On n'y reçoit pas de journaux, et le courrier se perd.

— Vous n'aviez donc pas de nouvelles de votre fils ? lui demande Ivy Dorothy, regrettant aussitôt sa question.

— En effet. Cela m'a permis de garder espoir jusqu'au bout.

— L'espoir est un appât imaginé pour nous empêcher d'accepter la réalité, remarque Clara.

— Vous dites cela pour paraître intelligente.

— C'est vrai, vous devriez essayer.

Clara, narquoise, lèche sa petite cuillère trempée dans la crème glacée.

— Mesdames, mesdames, nous ordonne Ivy Dorothy en fronçant les sourcils.

Keating arrête de triturer son nœud dans les cheveux. Sa bouche forme un cul de poule, infaillible présage d'une nouvelle banalité.

— Il était mort depuis quatre mois quand le shérif est venu m'apporter le télégramme.

Clara abandonne son dessert.

— Moi, j'ai perdu mes deux fils, fait Mrs Hartfield, une nouvelle bouchée enfournée. Mais je préfère qu'ils soient tombés là plutôt que dans des querelles de voisinage.

Ça doit pouvoir se défendre.

— Ils avaient dix-huit et vingt ans quand ils ont rejoint l'armée. Ils aimaient leur pays, ils avaient des convictions, ils ne tenaient plus en place, je les ai laissés partir. Peter a d'abord été ambulancier dans la Yankee Division, avant d'être affecté à la surveillance des prisonniers. Il est tombé au Chemin des Dames en février 1918. Un obus. Il ne restait rien de lui.

Comment a-t-elle appris sa mort ?

— John, mon petit, est mort six semaines plus tard de la grippe espagnole.

Et lui ?

— Peter n'a pas souffert, il n'a même sans doute pas réalisé, tandis que John est parti dans d'atroces souffrances. Aucun remède ne le soulageait.

Elle ne le dira pas, mais je voudrais tellement savoir comment elle l'a appris, par qui, avec quels mots.

Elle se tourne vers moi. Pour la première fois, je vois ses yeux. Ils sont beaux, d'une beauté presque choquante, dans ce vilain visage.

Quatrième jour

16.

Qu'est-ce qui m'a pris d'accepter ce voyage ? J'étais tranquille à Long Island, à lire, à jardiner, à dé-penser, faire barrage aux souvenirs, libérée des souffrances de l'amour et de l'attachement. Je n'attendais plus rien, même pas les visites de mes filles. Kate vivait avec sa famille à New York, Alice, photographe pour un grand magazine, voyageait par monts et par vaux. Seul leur père venait encore me voir. Il ne restait jamais longtemps, mais j'aimais la douceur de sa voix, de sa main sur ma joue. Il s'était remarié, il le méritait. Cela lui avait pris du temps avant de demander le divorce. Il avait essayé d'arranger les choses. Jusqu'à cette dernière soirée où il m'avait regardée comme s'il venait de comprendre que cela ne servirait à rien d'espérer. Ce regard qui avait sans doute à voir avec ma question, celle que je lui avais posée cent fois et encore ce jour-là :

— Comment m'as-tu appris la mort de notre fils ?

J'avais ce besoin, obsédant, persistant malgré les années.

— Je ne m'en souviens pas, c'était il y a long-temps.

— Pourquoi tu ne t'en souviens pas ?

— Cela avait été un moment très difficile.

— C'est tout ?

Il ne répondait jamais ou quelque chose qui ne ressemblait à rien.

Le lendemain, il faisait ses valises.

J'étais tranquille depuis des années, quand au mois de mai, faisant le tour de mon jardin, le facteur était arrivé. Il avait partagé mon ravissement devant les aulnes si noirs la veille qui s'étaient mouchetés de vert, sous le soleil du printemps. Depuis quelque temps, le mur de silence et de solitude que j'avais érigé autour de moi s'écroulait parfois. Il disparaissait avant même que je m'en sois rendu compte et je me retrouvais à discuter avec le marchand de légumes, la voisine, le facteur.

Après son départ, j'étais rentrée me faire un thé quand je m'étais souvenue de la lettre restée dans ma poche. L'enveloppe était marquée du cachet officiel du département de la Guerre. Dix ans que je n'en avais plus reçu. Le gouvernement américain avait pris en charge toutes les démarches, décidé où Alan serait enterré, quand, comment. Il avait suffi de leur donner les clés du cercueil. J'avais pensé à une erreur, mais l'adresse et le nom étaient bien les miens. Je l'avais ouverte, presque négligemment, tout en attrapant la théière d'un geste machinal. On me demandait si j'étais bien la mère de mon fils Alan Troake, né le 12 avril 1896. La théière m'était tombée des mains. Je m'étais baissée pour ramasser les débris, mais je tremblais tellement que je m'étais fait des entailles aux doigts. Du sang tachait ma réponse – « oui ! oui ! je le suis » – que j'avais couru mettre dans la boîte.

Ils avaient retrouvé mon fils et il était vivant.

Combien de soldats étaient revenus ainsi, après des années d'absence, la guerre terminée ? Des hommes au lourd manteau qui avaient tout oublié, jusqu'à leur nom, et que leur mère reconnaissait au premier regard. Des hommes déclarés morts, mais qui avaient été confondus avec un autre soldat, les autorités étant dépassées par l'ampleur des victimes. Des récits abominables avaient circulé. Dans le chaos, on aurait empilé à la hâte, sans distinction, des corps, des membres, dans une même fosse. Les plaques d'identité, de mauvaise qualité, tombaient. Des registres se perdaient.

J'avais passé les jours suivants à l'attendre. Juste ça, la simple attente, le refuge des malheureux, des malades, des condamnés, qui guettent la nuit, puis le jour, simplement que la lumière change.

J'allais jusqu'à laisser la porte ouverte, guetter le bruit de la poignée, de ses pas dans l'escalier, la dernière marche qui grinçait. Je n'allais pas plus loin, je n'imaginais pas sa voix qui disait Maman, tu es là ?, sa main dans la mienne, ses grandes ombres sous les yeux. N'empêche, le piège de l'espoir était béant à l'arrivée d'une nouvelle lettre.

Alan Troake a-t-il une veuve et si oui, quelle est son adresse ?

J'avais dû relire la phrase plusieurs fois pour comprendre non pas ce qu'elle disait, mais ce qu'elle ne disait pas. Mon fils ne rentrerait pas. Mon fils n'était pas vivant.

J'avais dû la relire autant de fois pour réaliser qu'on me posait une question.

Alan Troake a-t-il une veuve et si oui, quelle est son adresse ?

Une veuve ? Mais Alan n'était pas un mari. Alan était un enfant de dix-huit ans, un fils, *mon* fils ! Cette question avait achevé de m'accabler. Elle disait combien ils ne savaient rien de lui.

Et comment osaient-ils me poser à moi des questions alors que personne ne répondait aux miennes,

comment il était mort, par qui, son nom, s'il avait
souffert, d'où, qui avait fait sa toilette, les premiers
morts de cette guerre y avaient eu droit, et même à
des funérailles nationales pour ce qui concernait les
Français.

*Si on vous le proposait, feriez-vous un pèlerinage en
France sur sa tombe ?*

Des images des pèlerins de Saint-Jacques-de-
Compostelle, les pieds poudreux, les lèvres gercées,
le visage illuminé, m'étaient apparues. Le chemin
et, au bout, la paix. Je n'avais pas réfléchi davantage. J'avais ignoré la première question et répondu
à la seconde. Oui, j'étais d'accord pour faire un
pèlerinage en France sur la tombe de mon fils, si on
me le proposait.

En me rendant à la boîte aux lettres, j'avais croisé
un petit garçon blond. Tout s'était télescopé dans
ma tête. Passé, présent. Le marasme des jours et
des nuits tentait de refermer son piège. Alors j'avais
pris une décision : ne plus rentrer dans sa chambre,
ne plus regarder ses photos, tant que je ne serais
pas certaine que ce projet voie le jour. Et, en attendant, j'allais me consacrer à mon jardin et à lui seul.
J'y avais mon utilité. Sans moi, les fleurs seraient
mortes, les mauvaises herbes auraient tout étouffé,
les haricots, les tomates, les salades. J'étais essentielle
à quelque chose à défaut de l'être pour quelqu'un.

Un mois plus tard était arrivée une troisième lettre :

Seriez-vous d'accord pour partir en 1930, le premier voyage organisé, ou préféreriez-vous partir plus tard ?
Avez-vous déjà rendu visite à la tombe de votre fils ?
Quels sont votre âge et votre état de santé ?

J'ai répondu que j'étais d'accord pour le premier voyage organisé, que non je n'étais jamais allée sur la tombe de mon fils car je n'étais pas prête à l'époque, mais que je l'étais aujourd'hui, que mon âge était le mien, mais ma santé solide, que je leur serais reconnaissante de m'en dire plus et vite, d'arrêter de me laisser me cogner la tête contre mes questions, de cesser de me faire miroiter (j'avais longuement hésité sur ce mot) ce projet fou de me pencher sur mon enfant, sans plus de précision.

Et j'avais appelé mon mari. Je m'étais excusée de ne pas l'avoir informé plus tôt, il avait compris, belle âme qu'il était. Il s'était renseigné auprès de relations haut placées et appris que toutes ces années après, sans qu'aucune instance ne les y oblige, sans que cela ne réponde à une demande particulière ou collective, le Congrès préparait en effet une série de voyages destinés aux mères de soldats vers les cimetières militaires en France et en Belgique. Mais leur projet se confrontait à d'innombrables questions logistiques. Il fallait définir un budget et la crise financière ne facilitait pas l'affaire. Décider qui pourrait y participer. Toutes les mères ou seulement celles qui ne s'étaient jamais rendues sur la tombe ? Les mères, mais pourquoi pas aussi les épouses ? Toutes les épouses ou seulement les non-remariées ? Il fallait nommer des responsables, recruter du personnel, des escortes, des traducteurs, des infirmières, organiser les transports, les hébergements. Il fallait réfléchir, décider, avancer comme avec une hache, dans les méandres de tous ces deuils.

Mes dahlias et mes roses avaient eu le temps de fleurir quand j'avais reçu cela :

Je _____ l'invitation qui m'est faite de faire un pèlerinage en France aux frais du gouvernement des États-Unis, approuvé par un décret du Congrès du 2 mars 1929.

Remplir l'espace avec *J'accepte* ou *Je refuse* et signer.

Une invitation pour un gala de charité n'aurait pas été différente et, au lieu d'en être choquée, cela m'avait rassurée. L'heure n'était plus à la tragédie, aux larmes et aux cris qui brouillent la vue et l'ouïe. L'heure était à la douleur.

Un mois plus tard, une grande enveloppe dépassait de ma boîte. Un billet de train pour New

York, un chèque de dix dollars pour les éventuelles dépenses sur le trajet. Tous les frais de restaurants, hôtels, blanchisserie, médicaments, musées, pourboires seraient pris en charge durant tout mon séjour. La suite du voyage allait m'être présentée au cours de notre traversée à bord de l'*America*.

L'enveloppe contenait également une étoile dorée surmontée d'un aigle et entourée de feuilles de laurier, accrochée au bout d'un ruban rouge, blanc et bleu, avec « *Pilgrimage of Mothers and Widows* » gravé au dos. Je devais la porter à l'instant où je partais de chez moi et ne plus la quitter jusqu'à mon retour. Tel un nourrisson, sa gourmette.

17.

Alan m'avait demandé un jour si des gens habitaient en mer. Nous étions à bord de la navette vers Staten Island, Je lui avais répondu que c'était bien possible, que des voyageurs pouvaient avoir décidé de ne jamais rentrer.

— Comment vivent-ils alors ?

— Ils boivent de l'eau de pluie, mangent des poissons.

— Des œufs aussi.

— Ah oui ?

— Oui, ils ont des poules pour faire des œufs frits de temps en temps.

— Bien sûr. Tu aimerais habiter en mer, mon chéri ?

— Avec toi, oui, maman.

Mon visage souriant de son amour tourné vers le soleil, j'avais senti quelques secondes plus tard sa petite main cogner ma poitrine. Il m'avait désigné la bouée de sauvetage accrochée devant nous.

— C'est dangereux ? On va se noyer ? On va tous mourir ?

Je l'avais rassuré. Sa petite bouche édentée m'avait souri.

— Ne t'inquiète pas maman, c'est doux.

— Quoi est doux ?

— La mort.

Fallait-il relever cette parole d'enfant supérieurement intelligent ? Dans le doute, je m'étais esquivée dans un éclat de rire. Si je l'avais fait, si je lui avais demandé de m'expliquer ce qu'il voulait dire *exactement* en me promettant de ne pas me fâcher, ne pas le juger, ce que je ne faisais de toute façon jamais, si je lui avais rétorqué Non, Alan, la mort n'est pas douce, si je l'avais emmené dans un cimetière où pleuraient des vivants, si je l'avais emmené en Inde pour respirer la puanteur des bûchers, si je lui avais fait dessiner l'enfer sur une feuille de papier noir et râpeux, cette idée idiote que la mort serait douce, il serait encore là pour en rire avec moi.

La peur coupe les jambes, la jalousie étouffe, le cœur se brise, mais, au-delà de la banalité de ces images, le remords, c'est autre chose. C'est la chute dans le trou. Pire qu'un trou, un goulet de la taille d'une tombe trop étroite.

Ivy Dorothy s'approche.

— Comment allez-vous, Catherine ?

— Bien.

Un réflexe.

— Vous n'êtes pas venue déjeuner.

Je hausse les épaules.

Elle lève le regard vers le ciel, inspire.

— Il fait doux.

Ma gorge émet un petit bruit.

— Vous êtes sûre que ça va, Catherine ?

Sa voix est mal placée.

— J'ai juste besoin d'être seule.

— Je comprends.

Elle s'éloigne. Que peut-elle bien comprendre ? Et moi ? Qu'est-ce que je comprends vraiment ? Où sont passés les mots pour expliquer ? Il me manque la voix de mon fils qui m'éclairait sur la vie avec cette assurance frondeuse, touchante et un peu agaçante il faut bien dire, propre aux jeunes gens.

Depuis que je suis sur ce bateau, beaucoup de choses m'assaillent, tristes pour la plupart, mais une est merveilleuse. J'arrive avec une netteté inouïe à recréer son regard posé sur moi. Comment ? En me prenant le visage entre les mains, et en appuyant fort sur mes globes avec trois doigts. Je le fais en cachette, mais de plus en plus souvent, avec la vague impression de m'engager sur des chemins qui effraieraient bien des gens à raison, peut-être. Mais, pour moi, l'important est d'y être allé.

18.

Trois nonnes voyagent sur le bateau. En deuxième classe, mais elles ont adopté notre pont pour leur promenade de la matinée. Elles l'arpentent de long en large de leurs méchantes chaussures plates, retenant leurs coiffes contre le vent. Leurs jupes parfois se soulèvent. Je m'amuse à guetter un bout de cheville.

Je le vois bien qu'elles hésitent à venir nous parler, nous les étoilées, qu'elles s'en veulent de ne pas le faire. Contrairement aux autres passagers, elles pourraient quand même faire un effort. Leur « mari » leur a ordonné la compassion. Je leur tourne le dos et me perds à contempler la mer ridée de petites vagues blanches, marbrée sur le bord à l'endroit où notre passage l'a dérangée. J'essaie de tout voir, tout sentir, tout entendre – le vent, les vagues, les bruits des moteurs, les cris des hommes. Non pas pour passer le temps, mais pour qu'il ne passe pas, parce que le temps n'est pas un remède, il ne soigne rien.

— Si vous cherchez une île, il n'y en a pas une seule, fait une voix derrière moi.

L'homme appuyé au parapet est jeune, sûr de lui.

— Pas le plus petit îlot, pas le moindre banc de sable.

— Comment le savez-vous ?

— Je suis pilote. J'ai plusieurs fois survolé cette zone.

Ses yeux aperçoivent mon étoile. Il marque un temps.

— Mes héros faisaient partie de l'escadrille La Fayette. J'avais quinze ans à l'époque.

— Ne vous sentez pas obligé de me parler de la guerre.

Il poursuit sans relever.

— C'est un triste constat, mais la plupart de nos pilotes n'ont pas survécu. Victor Chapman, par exemple. Le premier à mourir.

— Ah oui ? fais-je mine de découvrir.

Chapman faisait partie d'une escadrille qui avait rendu à l'armée de Verdun de précieux services. Il avait vingt-cinq ans. Dès les premiers jours, il s'était engagé dans la Légion étrangère, d'où il était passé dans l'aviation. En apprenant son décès, son père, écrivain, s'était contenté de dire : « C'est bien, il est mort pour une noble cause. » Quelle bêtise.

Une jeune fille – il me semble reconnaître l'accompagnatrice de la vieille dame – et deux hommes passent devant nous, en riant.

— Comme le bateau doit vous paraître lent par rapport à l'avion.

Je vois son beau profil sourire. Il se tourne vers moi, ses cheveux noirs devant les yeux.

— Tout dépend de sa compagnie.

Son regard plonge dans le mien. Quelque chose de doux, d'insistant passe. Mais qu'est-ce que je suis en train de m'imaginer ? J'ai cinquante-cinq ans ! Je prends la fuite et passe l'heure suivante à me traiter d'adolescente.

19.

Je suis justement en train de penser à elle, quand la porte de l'ascenseur s'ouvre sur Mrs Vanderbilt. Surprise, je marque un temps avant d'entrer ce qui lui provoque une moue agacée.

C'en est trop.

— Ne nous serions-nous pas déjà vues ?

Sa bouche se pince, s'avance pour dire non.

— Il me semble pourtant. Votre nom, Vanderbilt…

— Ma famille comprend une vaste ramification, je n'en connais pas toutes les branches, fait-elle en me tournant le dos.

Sa nuque est large, un peu brillante, voire un peu poisseuse. L'ascenseur s'ouvre à l'étage, elle me passe devant, manquant m'écraser les pieds. Mais qu'a-t-elle donc contre moi ? Que lui ai-je fait et quand ? Dans ma vie d'avant, c'est la seule chose dont je sois sûre, celle où j'étais l'épouse d'un homme d'affaires infatigable, souvent jalousé par d'autres hommes infatigables, plutôt charmeur avec les dames, ce qui ne me déplaisait pas car je voyais bien qu'il se comportait avec toutes de manière identique, jolies ou pas. Il avait toujours le même sourire sur ses lèvres, la même marque d'intérêt. Lui et moi formions un couple apparemment parfait. Les gens nous regardaient avec un sourire approbateur.

Nous nous sommes revus juste avant mon départ. À New York, pour une fois. Il m'attendait devant le Tavern on the Green. Nous aimions tellement venir ici en famille. Depuis notre table, toujours la même, nous surveillions les enfants tandis qu'ils jouaient sous les grands ormes de Central Park. Ces souvenirs, l'atmosphère cossue et inchangée du restaurant avaient achevé de me rassurer. Je n'étais pas venue à New York depuis si longtemps. Un tort. Les bruits de la ville m'avaient aussitôt paru amicaux et familiers.

Il m'avait tendu deux photos qu'il venait de retrouver. Alan, vers quatre ou cinq ans, prises justement ici, à Central Park. Sur la première, son père le tenait à bout de bras comme s'il venait de le sortir de terre. Sur l'autre, on le voyait au même âge, un oiseau posé sur la tête. Alan les adorait. Il avait toujours des glands, des graines dans ses poches. Il voulait les attirer sur la terrasse de sa chambre. Il disait qu'il pouvait les voir la nuit, protégeant son sommeil. Il affirmait qu'il les entendait parler de lui.

Mon mari avait glissé sa main sur la nappe pour la poser sur la mienne. Il avait vieilli, il s'était empâté, mais j'aimais toujours son visage. Très précisément cette petite marche à la racine des cheveux qu'Alan avait aussi. J'aurais pu vivre là, les lèvres appuyées, à la respirer.

— Les filles vont bien. Tu leur manques.

— Bien sûr que non, je ne leur manque pas. Et elles non plus.

À quoi bon mentir ? Ne l'avions-nous pas assez fait ? Ne nous étions-nous pas assez déçus ?

Un long silence était passé.

— Tu vas faire ce voyage, alors. C'est bien, tu en as besoin…

Et lui non ? L'idée ne le tentait pas d'aller sur sa tombe ? Il n'en parlait pas à l'époque, mais ses cauchemars le trahissaient. Il s'en voulait de n'avoir rien fait à Paris pour le convaincre de rentrer avec nous. Il s'en voulait de son impuissance à me réconforter après sa mort. Sur ce dernier point, il avait tort. Rien de ce qu'il aurait pu me dire ne m'aurait atteinte dans le désert glacé où je m'étais réfugiée. Je ne voulais pas être consolée. J'étais bien avec mon mort. Je lui restais fidèle.

Nous quittions le restaurant, mon mari était parti saluer une connaissance, quand une voix m'avait appelée depuis la terrasse. Edith Roosevelt, l'ex-première dame. Elle avait changé. Elle était veuve. Theodore était mort quelques mois après leur fils Quentin dont l'avion avait été abattu en 1918.

Je m'étais approchée.

— Ravie de vous voir, avais-je dit, le sourire aux lèvres, retrouvant aussitôt le manque de sincérité qui caractérisait cette période de ma vie.

— Moi aussi, chère amie ! Je pensais à vous pas plus tard que l'autre jour. Venez dîner un soir, cela me ferait plaisir.

— Je ne suis là que de passage.

— Alors une prochaine fois.

— Sûrement.

Mon mari me regardait depuis le perron du restaurant, mi-souriant, mi-inquiet. Nous avions commencé à traverser le parc, main dans la main.

— Tu sais qu'Edith s'est rendue sur la tombe de son fils.

Quelques jours après sa mort, les Américains avaient pris le village de Chamery où était tombé son avion. Ils avaient découvert sa tombe aménagée par les Allemands, une simple croix de bois disposée avec les restes retrouvés de son appareil.

— Et... ?

— Et c'est tout.

— Qu'est-ce que tu cherches à me dire ? lui avais-je demandé envahie d'une bouffée de colère ancienne.

— Calme-toi Catherine. Je t'avais proposé d'y aller nous aussi, comme d'autres parents l'ont fait.

— Tu ne comprenais pas. Ce que je voulais moi, c'était le faire ramener !

Je réclamais un lieu, une sépulture, un nom gravé quelque part mais, pour mon mari, la place de notre fils était de rester là-bas, avec ceux qui s'étaient battus, tous pareils et unis, sans hiérarchie de naissance ou d'autre sorte. Mais mon fils n'a rien à voir avec eux, « les autres ! », je lui rétorquais avec une pointe de mépris. « Là où l'arbre tombe, il doit rester », combien de fois m'avait-il répété cette phrase hideuse de Roosevelt ?

Je m'étais arrêtée de marcher, je l'avais obligé à me regarder dans les yeux.

— Aujourd'hui, j'aimerais savoir si tu le pensais vraiment qu'Alan devait rester là-bas. Si tu n'as pas péché par fierté, ou pire par convention. Si c'était vraiment ce que tu voulais.

— Tu veux dire même avec la peine que cela t'a fait et continue de te faire ?

— Oui.

Il m'avait semblé qu'il hésitait. Il avait allumé une cigarette et s'était remis à marcher.

— Oui, je pense vraiment qu'il devait rester là-bas, avait-il fait finalement. C'est ça la liberté, des gens différents qui vivent ensemble.

— Qui *vivent* ensemble ? Mais tu t'entends ! Comment peux-tu dire une chose pareille ?

— Oui pardon. Excuse-moi.

Il avait ressorti son briquet de sa poche. Sa cigarette était mal allumée.

— Nous avons bien fait de nous séparer.

— Ne confonds pas tout, Catherine.

Son briquet résistait.

— Tu me pardonneras un jour ? m'avait-il demandé, sa cigarette éteinte entre les lèvres.

— C'est à moi que j'en veux. De t'avoir obéi, comme du reste. Notre fils est seul là-bas.

Il s'était mis à rire, avait toussé, et soudain excédé, avait jeté sa cigarette par terre.

— Il est moins seul qu'avec nous.

Nous nous étions séparés sur ces paroles idiotes.

20.

Aucune mère ne peut accepter la mort de son fils, mais elle le peut encore moins quand elle ignore comment elle s'est produite. La vie de son enfant a une origine, un début, mais elle n'a pas de fin. Une fin terrifiante s'agissant d'un soldat, une fin confuse et brouillonne. Souvent solitaire. Souvent découverte une fois la bataille terminée. Personne ne l'a vue se produire et ceux qui l'ont vue ne veulent pas s'en souvenir. Une mort brisée comme on dit d'une vie qu'elle est brisée.

J'avais donc fini par céder à mon mari, Alan resterait là-bas mais, en contrepartie, il s'engageait à savoir comment Alan était mort. Misérable pacte. Malgré tous ses efforts, personne ne semblait savoir ce qui s'était passé. J'avais alors exigé qu'il se renseigne directement auprès de Seeger. Il était allé voir Charles pour qu'il écrive à son fils sur le front, pour lui poser la question. Il avait fallu attendre des mois pour apprendre que Seeger ignorait tout, jusqu'à sa mort. Mais il avait obtenu, grâce à une note de rapport perdue depuis, le jour de sa mort et l'heure. Huit heures du matin. Avant même l'ordre de partir à l'assaut.

Cela voulait-il dire qu'il n'avait pas mesuré l'ampleur du danger ? Ou qu'il avait mal entendu, confondant un ordre avec le cri d'un animal, un arbre tombé dans la forêt ? Qu'un autre l'avait poussé ? Ou est-ce que cela ne voulait rien dire du tout ? Longtemps, ces questions, j'avais fait mine de me les poser mais, au fond, je savais. Il s'était jeté dans la gueule du loup.

Mais comment la personne la plus intelligente que j'aie jamais connue, que j'aie le plus aimée, avait-elle pu décider que la vie ne valait pas le coup, qu'il valait mieux tout arrêter, ça je ne le savais pas. Tout ce qui me consolait était de savoir qu'il n'aurait jamais dormi dans la boue entre les cadavres, qu'il n'aurait jamais mangé du pain trempé de sang.

Le fumoir se remplit au fil des heures et de mes pensées. Je regarde tous ces gens masquant avec effort leur impatience contenue. Le début de la traversée a été agréable, mais le spectacle n'est pas assez varié, les divertissements assez nombreux pour les occuper une pleine semaine. Déjà, ils souhaitent la fin du voyage.

Le pilote entre. Moins séduisant que dans mon souvenir. Ou alors c'est cette veste vert d'eau qui lui fait le teint gris.

J'attends Clara. Nous avons convenu de boire un verre ici après le dîner. Homard et cailles d'Égypte ce soir, arrosé de tout ce qu'on peut imaginer, cela sous l'œil sévère de Mrs Vanderbilt comme si la prohibition valait ici et même dans nos milieux. L'alcool, cela fait des années qu'on le cache sous les fauteuils, derrière les rideaux, sous un tas de bois dans le jardin.

Le général nous a fait la grâce de venir à notre table. Ses récits de jeunesse – une enfance à la Martinique – ont recueilli un beau succès. Mais j'ai surtout admiré son talent à décourager toute question sur le sujet qui nous vaut d'être là. Il m'avait semblé que Cornelia allait tout de même tenter le coup quand, comme par un fait exprès, sur un signe du commandant, les musiciens, queue-de-pie et plastron, violon et piano, étaient entrés.

Je rappelle le garçon. Mon verre est vide. Clara ne devrait plus tarder.

Keating entre, vêtue d'une robe trop habillée, en tripotant son collier. Je la vois arrêter une petite plume incongrue qui passe devant elle, l'examiner de près. Ce que j'avais toujours pris pour de la niaiserie me semble soudain d'une autre nature. De la gentillesse peut-être. Toujours pas très intelligente, mais gentille.

Je veux prendre une gorgée, mais c'est la moitié de mon verre que je vide.

— Vous vous sentez bien Mrs Troake ?

La silhouette puissante de Mrs Vanderbilt me domine de toute sa hauteur. Elle porte ses bijoux sur une veste rose et un foulard lamé. On dirait une vieille actrice. Mes yeux clignent, j'ai du mal à la regarder tellement elle brille.

— Vous ne… Vous ne voulez vraiment pas me dire, Mrs Vanderbilt ?

— Vous dire quoi ? fait-elle avec un soupir consterné.

— Où nous nous sommes vues, je fais en levant mon verre comme si je lui portais un toast.

— C'est notre lot à tous passé un certain âge d'avoir la mémoire qui défaille.

— Je vous en prie, rappelez-moi d'où nous nous connaissons.

— Surtout pas ! Oubliez-moi, fait-elle en s'asseyant quelques tables plus loin.

Je l'observe tourner les pages de son journal, en mâchant un brin de céleri. Hier, sans le chercher tout à fait, j'ai été témoin d'une conversation entre elle et Keating. Elle lui décrivait sa maison de Newport, dessinée par l'architecte qui a conçu le socle de la statue de la Liberté. Galvanisée par ses petits cris impressionnés, elle s'était mise à lui réciter son arbre généalogique en insistant sur son arrière-arrière-arrière-arrière-grand-père, Jan Vanderbilt, agriculteur, son cousin, Alfred, qui avait sombré avec le *RMS Lusitania*, sur son aïeul Cornelius, éminent patron de presse, qui avait fait don de son bateau à vapeur le *S.S. Vanderbilt* à l'armée de l'Union durant la guerre de Sécession.

Elle lui avait raconté aussi le mariage de Consuelo Vanderbilt avec le duc de Marlborough, un des plus grands événements mondains de l'époque, omettant de préciser que le couple avait divorcé rapidement après. Elle lui avait expliqué la différence entre un duc, un marquis et un comte, avec des efforts aussi louables que vains. C'était touchant en un sens.

Je la vois refermer brusquement son journal et se tourner vers moi. J'essaie de charger mon regard de froideur, mais il me semble contenir au contraire une légère sympathie.

Le barmaid s'approche, regarde mon verre, me regarde. Il ne lui en faut pas plus pour m'en servir un autre.

Dix minutes plus tard, la tête me tourne et avec elle, des images. Une ferme brûlée sur un champ de bataille, des hommes tombant les uns sur les autres dans la lumière ténue, des plaies dans lesquelles le sang mélangé à la terre a viré de couleur, des bouches ouvertes sur le vide après avoir appelé en vain des mères qui n'ont rien entendu.

N'est-ce pas le général qui vient de rentrer ? Ce qu'il a réussi à éviter tout à l'heure au dîner, il ne pourra pas le faire éternellement.

— Général !

Il ne m'entend pas, je me lève en me retenant discrètement à la table.

Ça y est, il m'a vue.

— Oui ?

— Vous voulez bien vous asseoir un peu ?

Il hésite avant de finalement prendre place à côté de moi, mais pas trop près quand même.

C'est bien ce qui me semblait. Son eczéma mériterait un traitement plus efficace. Les plaques se sont maintenant étendues à presque tout le visage. J'essaie de ne pas les regarder quand je formule ma question :

— Général. Mon fils. Alan Troake. Je voudrais savoir. Comment cela s'est passé *exactement*. Sa mort.

Son visage grimace. C'est donc qu'il sait quelque chose.

— Madame, les services du ministère vous ont donné les informations dont ils disposaient.

— Justement non. Mon mari les avait demandées à l'époque, mais il n'avait rien obtenu.

Je ne mens pas, ce que je sais, je ne le tiens pas d'eux.

— Je voudrais savoir, général, ce que vous avez appris depuis ?

Ses yeux errent sur les tables comme s'il cherchait une réponse parmi les passagers.

— Rien.

— Rien ?

— La guerre est avare de traces. Je suis désolé de ne pouvoir vous aider davantage.

— Pas pour tous.

— Pas pour tous quoi ?

— Les traces. Avare. Pas pour tous.

— Non pas pour tous.

— C'est important pourtant, je fais.

J'ai dû parler fort, des visages se tournent vers nous. D'un geste romain, je leur fais signe de retourner à leurs conversations.

— C'est en effet très important, madame, mais nous apprenons au fil du temps que ce qui semblait très important finit un jour par paraître neutre. Un fait, une simple donnée.

Mes mains s'accrochent à la table.

— Avez-vous des enfants, général ?

— Je vous répondrais la même chose, si c'était le cas.

— Je ne crois pas non.

Je lève les yeux, la main en visière. Une ombre est là. Une femme ? Une femme avec un sourire insistant sur les lèvres, Clara. Le général en profite pour s'échapper, mais pas avant de poser une main sur mon épaule. Il la laisse ainsi quelques secondes au bout desquelles je sens mes larmes monter. Je crispe les paupières pour les empêcher de sortir.

Parce que mon fils est mort loin, au cours d'un massacre dont il était impossible de tenir le compte, sur le moment et même après, je n'ai eu droit à rien de ce à quoi tout parent a droit. Rien d'autre qu'un voyage en bateau.

La voix de Clara me parvient étouffée.

— Tu sais où je voudrais être en ce moment ?

Elle se tient la tête appuyée contre son dossier.

— Non, tu ne sais pas ? Dans un simple bungalow, seule, dans la forêt, en train de surveiller une casserole suspendue au-dessus d'un feu de bois.

Et lui non plus, mon fils d'amour, n'a eu droit à rien. Pas de cérémonie, pas de discours, personne pour dire qui il était, ce qu'il faisait là, loin des siens. Ce qu'il cherchait là, ce qu'il fuyait là. Qui.

— Dis, tu m'écoutes ?

— Je lui ai gâché sa mort.

J'aurais dû insister davantage auprès de mon mari, ne pas lui céder. Organiser des funérailles, exiger une messe, construire une tombe dans le jardin et la couvrir de graines pour que les oiseaux continuent à protéger son sommeil. Je n'aurais jamais dû laisser les autres décider à ma place.

Je tends la main pour prendre mon verre, mais je vois Clara s'en emparer et le siffler d'un trait.

— Ma chérie, tu as assez bu comme ça vu l'état dans lequel tu es.

— L'état ?

— Une phase aiguë d'apitoiement sur toi-même.

— Mais pas du tout, lui répond ma bouche pâteuse.

— Il faut savoir congédier nos fantômes et s'abandonner au restant de l'existence.

— Qu'est-ce que tu fais là alors ?

Elle fait un geste vague de la main.

— Nous ferions mieux d'aller nous coucher.

— Dès que le bateau aura cessé de tanguer.

— Maintenant.

Nous prenons péniblement le chemin vers nos cabines, quand nous percevons les accords assourdis d'un orchestre montant de la salle de bal. Pas un petit orchestre, mais des trombones, des hautbois, des trompettes qui jouent des arrangements de musique brillante et légère. J'aperçois le pilote, j'ai encore assez de présence d'esprit pour faire demi-tour.

— Si nos fils n'étaient pas morts, nous ne nous serions pas connues, me souffle Clara devant la porte de ma cabine.

Quelle vilaine pensée.

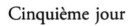

Cinquième jour

21.

C'est d'abord un coq qui m'a réveillée. Puis le grondement de camions passant sur une route. Où en étais-je de mon rêve ? Une histoire de clé égarée. Il fut un temps où je passais mes nuits à perdre des choses et à ne jamais les retrouver. Quelle clé ? Pour quelle porte ?

Et quelle robe ce matin ? L'avantage d'une petite garde-robe, c'est qu'on n'hésite pas longtemps.

La salle du petit déjeuner est quasi déserte. Anna est seule à notre table, grignotant son toast à deux mains comme une orpheline de Dickens. Elle ne cille pas quand je m'assieds à côté d'elle. Clic-clac, clic-clac fait le fermoir de son sac, entre deux bouchées.

— C'est votre premier voyage en mer ?

Derrière ses lunettes aux verres épais, elle me lance un coup d'œil de biais et hoche la tête.

— On regarde les choses différemment, vous ne trouvez pas ? On redécouvre ce à quoi on ne prêtait plus attention : le vent, les nuages, la…

— La fiente des mouettes.

— C'est vrai aussi.

Elle me fait signe d'approcher.

— Vous croyez qu'ils nous voient en ce moment ? me murmure-t-elle à l'oreille.

— Qui ? je demande alors que je sais.

— Nos morts. Vous croyez qu'ils regardent les vivants ?

Celui qui est mort ne voit pas, n'entend pas, il pourrit, c'est tout ce qu'il fait. Il ne peut plus rien promettre, ni menacer. Il ne peut pas réclamer des comptes, demander réparation, ni se montrer déçu.

— C'est une question de croyance, je fais.

Sa chevelure grisonnante frémit et elle s'enferme à nouveau en elle-même.

Le général passe une tête, s'enfuit. Je ne m'avoue pas vaincue. Je reviendrai avec ma question, posée d'une autre façon, c'est tout.

Anna avance la main pour reprendre une tartine. Je propose de la beurrer pour elle, de mettre la confiture bien jusqu'aux bords, comme je le faisais avec mes enfants. Elle accepte, je l'en remercie.

154

Sur le pont, une jeune fille accoudée au parapet offre un charmant tableau : un chapeau de paille à larges bords sur ses boucles blondes, une robe en tissu léger, une ombrelle japonaise pour protéger ses épaules. Ce n'est que lorsqu'elle lève son visage vers le ciel que je reconnais l'accompagnatrice fantôme de la vieille dame. Elle est bien trop jeune, bien trop jolie pour faire ce métier. Qui a bien pu le lui conseiller ?

À peine installée dans mon coin habituel qu'une ombre vient me cacher le soleil. Mrs Hartfield, les mains sur les hanches.

— Je vous dérange ?

Je lui fais signe de s'asseoir. Elle secoue la tête.

— Je ne veux pas que vous ayez une fausse idée de moi, fait-elle, en se tamponnant le front et la nuque avec un mouchoir.

— Pardon ?

— Nous ne sommes pas du même milieu, mais ma tristesse est aussi réelle que la vôtre.

— Je n'ai jamais pensé le contraire.

Ce qui est terriblement faux. En quoi ma douleur est-elle comparable avec celle d'une femme de la terre, qui a élevé ses fils pour qu'ils sachent rentrer le foin, abattre un lièvre, pour qu'ils soient courageux et réalistes ?

— Nous sommes amies alors ?

— Bien sûr.

Je suis une fois de plus médusée par son regard. Sa vivacité, c'est le mot qui me vient. Ses fils devaient l'avoir aussi. Ils sont morts quand même.

Je la regarde s'éloigner, croiser Clara qui vient me rejoindre.

— Je vous ai entendues toutes les deux, fait-elle en s'asseyant. Il est vraiment temps que tu parles de ton fils.

— Je ne vois pas le rapport.

— Nous l'avons toutes fait ici, insiste-t-elle. Nous n'en sommes pas...

— Mortes ?

— Arrête, tu n'es pas drôle. Nous n'en sommes pas... Je ne sais plus ce que je voulais dire... Qu'importe. Nous ne devons pas garder tout cet amour en nous, même si c'est souvent le cas avec des enfants uniques.

— Des enfants uniques ? Que veux-tu dire ? Alan avait deux sœurs.

— Tu veux dire que tu as deux filles !

— Oui.

Elle réfléchit, sévère.

— Alors parle d'autant plus s'il te reste tes filles, toi.

Deux, coup sur coup. L'aînée, Kate, les yeux bleu acier de son père, était la plus silencieuse, ni gourmande ni gaie. Alice, elle, parlait sans cesse. Elle tirait ma jupe, mes cheveux, quand je ne répondais pas assez vite. Dis, tu m'écoutes, maman ? Dix fois, cent fois par jour cette phrase.

La naissance d'Alan – Kate avait cinq ans, Alice quatre – avait bouleversé leurs vies de petites filles choyées. Mon rêve était exaucé, j'avais un fils. Pourquoi un tel désir, j'avais définitivement cessé de me poser la question ce jour-là. Comblée, je m'étais mise à oublier tout ce qui n'était pas lui. À attendre dans une apnée merveilleuse qu'il se réveille pour l'embrasser comme on embrasse un bouquet de pivoines charnues. Je m'étais mise à être heureuse.

En grandissant, ses sœurs et lui s'affrontaient sur tout. J'étais lasse d'échouer à ne pas prendre parti. Heureusement, elles avaient très jeunes fait le choix de partir en pension.

Devenues adultes, Kate avait épousé un jeune loup des affaires, Alice avait découvert la photographie. Elles se contentaient de me détester de loin et en silence. Et moi à leur en vouloir. Je ne leur pardonnais pas leur lettre à Alan quand il avait annoncé sa décision de rester à Paris : « Merci d'élever notre fratrie d'enfants riches à un niveau supérieur, plus audacieux. Reviens-nous avec des histoires que la plupart des gens ne pourraient même pas rêver pour eux-mêmes. Écris, lis, aime, écoute ton cœur ». Voilà ce qu'elles avaient osé lui écrire.

Le temps et la mort étaient passés et avec eux, les ressentiments. C'est Alice qui avait fait le premier pas vers moi. Cela ne m'avait pas vraiment surprise. C'est avec elle que les rapports avaient été le moins difficiles et c'est pourtant à elle que j'en avais le plus voulu. Avec sa sœur aînée, j'avais rapidement surmonté ma déception d'avoir une fille. Ce n'était qu'un essai raté. Mais, un an après, la déception d'avoir une deuxième fille avait été terrible. Je m'en étais sortie grâce à la promesse de mon mari de recommencer jusqu'au succès. Par amour pour moi, car lui « prendrait tout ». Il m'avait fallu attendre trois ans pour retomber enceinte et cette fois avait été la bonne.

La première fois qu'Alice était venue me voir après toutes ces années, je ne l'avais pas reconnue. Ses joues rondes, qui faisaient son désespoir depuis l'école, avaient fondues. Avec ses cheveux courts, on aurait dit un garçon. Je la sentais fiévreuse et crépitante, un fil sous tension qu'il valait mieux ne pas toucher. Elle avait examiné chaque pièce de ses yeux fauves, cherchant quelqu'un qui n'était pas là. Je l'attendais en bas. Puis installées dans le jardin, elle n'avait parlé que d'elle et j'avais aimé ça. Elle m'avait décrit son travail, les sujets qu'elle aimait photographier qui correspondaient rarement à ceux pour lesquels elle était payée, les villes qu'elle avait visitées et celles dans lesquelles elle ne voulait « jamais remettre les pieds », ses clients dépourvus de sens artistique, qui n'étaient qu'égocentrisme. Cela se voyait qu'elle exagérait, mais elle voulait que je la plaigne, l'encourage, la félicite, tout ce que les mères sont censées faire et que j'ai fait ce jour-là.

Elle était revenue me voir juste avant que je ne parte pour ici. Elle portait une veste terne, l'air renfrogné. Là encore, elle fit le tour de la maison et là encore, quoi qu'elle chercha, elle ne le trouva pas.

— Pourquoi ce voyage ? m'avait-elle demandé, revenue dans le salon.

— Je veux revoir son visage, lui avais-je répondu, espérant par cette formule poétique couper court à d'autres questions.

C'était mal la connaître.

— Tu peux développer ?

— Une fois que j'aurai vu sa tombe, je me sentirai plus en paix.

Elle n'avait rien dit. Elle avait dû se contenter de soupirer intérieurement, penser que j'aurais pu le faire plus tôt.

— Alan était égoïste… avait-elle fini par lâcher.

Non, pas égoïste. Il voulait juste « tout avoir ».

— … un despote, un tyran, un menteur, mais cela ne m'a pas empêchée d'avoir beaucoup de peine à sa mort. Et papa et Kate aussi.

— Je sais.

— Non tu ne sais pas. Tu ne pensais qu'à toi, ton chagrin. Je t'observais dans l'entrebâillement de la porte de sa chambre. Ça me fichait la trouille de voir ma mère prostrée comme ça.

Que répondre ? Rien de ce que j'aurais pu dire n'aurait arrangé quoi que ce soit.

— Tu sais que j'ai débarrassé sa chambre à Paris ? avait-elle dit après un nouveau silence.

— Qu'est-ce que tu racontes ? Tu m'avais dit qu'elle était vide.

Vide comme son cercueil. Je n'avais rien pu y mettre de moi, de nous, avant qu'il ne soit refermé.

— C'est ce que je t'avais dit à l'époque, mais ce n'était pas vrai.

— Tu avais trouvé quelque chose ?

— On peut dire ça oui.

— Quoi ?

Elle avait secoué la tête.

— Arrête de jouer les mystérieuses. Parle !

— J'ai découvert un paquet de feuilles.

— Et… ?

— Il était toujours écrit la même chose.

— Quoi ? Arrête de m'obliger à te tirer les vers du nez.

— « Pardon maman ».

— Pardon maman ?

— Oui. Sur toutes les feuilles. Si l'une venait à s'envoler, à glisser sous un meuble, il y en avait une autre et encore une autre.

— Qu'est-ce que tu en as fait ?

— Je les ai laissées, je n'y ai pas touché. Et il y avait ce livre aussi, *Lettres à Théo*, qui était resté sur son lit.

Reste le chagrin

Elle me l'avait tendu. Une fleur en était tombée, comme un papillon mort.

— C'est drôle, avait-elle fait, les gens censés vous aimer sont souvent ceux qui vous empêchent de vivre.

On aurait dit une réplique de film.

22.

— C'est agaçant quand les choses n'avancent pas comme on voudrait.

À qui le dit-elle.

La femme est déjà replongée dans sa patience. Cela fait maintenant un quart d'heure que j'attends qu'elle soit partie pour jouer avec mon globe.

Je n'ai pas tourné deux pages de *Lettres à Théo* que Carol passe la tête. Ses yeux sont cernés de bleu pâle, ses traits tirés. Elle est fatiguée aujourd'hui. Hier soir, nous avons parlé un peu pendant le dîner. Elle a trente-trois ans, elle est née à Baltimore, sa famille est d'origine française. Elle est venue à Washington pour intégrer l'armée, plus pour faire plaisir à son père que par choix personnel. Mais faire plaisir à son père pour une fille est aussi un choix personnel, n'est-ce pas ? m'avait-elle fait observer.

Au début, elle travaillait dans le service de la communication. Elle organisait des réunions de presse avec les journalistes, rédigeait les éléments de langage. Comme toutes les corporations, les militaires possèdent un jargon très codifié, voire tout à fait secret, notamment en ce qui concerne les relations internationales, et pourtant il faut parler. Dire sans dire. D'ailleurs les Français, et là, elle a souri, surnomment leur armée « la grande muette ». Et puis, on lui avait proposé ce voyage, le premier voyage des Gold Star Mothers, un immense honneur pour elle.

— J'ai demandé à ce qu'on vienne vous servir un thé, nous avertit-elle.

— Merci Carol, fait l'autre femme.

Trois secondes plus tard, les tasses sont servies, la femme a rangé ses cartes, une voix me demande si mon livre est intéressant, Mrs Hartfield se débarrasse de sa veste en tweed à moitié sur mes genoux. Vais-je devoir rentrer dans ma cabine, pour trouver le silence ? Même pas. Un bateau n'est jamais silencieux. Il y a toujours, dans un endroit de la coque, un moteur qui vibre. Quelque chose qui chauffe. Quelque chose qui dégouline sur la tôle.

D'autres femmes entrent encore. Ça part dans tous les sens. La gastronomie chinoise, le parti travailliste, Charlie Chaplin. Je reste les yeux fixés sur mon livre ouvert au hasard, espérant me faire

oublier. « Le sang en rut inonde le visage. » Je relis.
« Le sang… le visage. » Je ne sais plus si ces mots
sont ceux que je lis ou ceux que j'entends. Le fils de
l'une a eu la tête arrachée par un éclat d'obus. Le
mari d'une autre a été touché à la cuisse. La blessure
s'est infectée. Il ne pouvait se coucher que dans une
seule position. La gangrène a fini par l'emporter.
Un autre a été atteint à l'épaule. Sa blessure au premier abord ne paraissait pas trop sérieuse. Pendant
le trajet, il est resté assis sur le brancard à causer
avec les ambulanciers. Ce n'est que dans l'après-
midi que son état s'est aggravé. Une hémorragie
interne l'a emporté. Un autre a été asphyxié par des
gaz toxiques, il est mort dans d'atroces brûlures. Un
autre a reçu une balle dans le ventre. Des blessés
l'avaient entendu chanter toute la nuit des refrains
populaires français avant que les brancardiers ne le
découvrent au petit matin. Un autre a été explosé
par une mine au volant de sa Ford T, alors qu'il
transportait des victimes. Sa mère regarde ses bras
vides comme si la tête de son fils y reposait.

Certaines en racontant ont l'air de s'assurer que
l'histoire est vraie, qu'elles ne l'ont pas lue ou entendue quelque part, qu'elle a bien eu lieu même avec
ses contradictions, ses ombres et ses failles ; d'autres
l'expulsent, comme un noyau coincé.

L'heure du déjeuner vient les interrompre. Elles
se lèvent prudemment. Je les vois se donner le bras.
Je les vois savoir, elles, ce qui s'est passé.

Après quelques minutes, je m'aperçois qu'une autre femme est restée. Celle dont le fils est mort d'une blessure à la tête. Son visage se tourne légèrement. Je vois à quoi elle pense. Je ne dis rien, je laisse venir.

— Le choc, je ne l'ai pas ressenti tout de suite. J'étais dans la salle à manger, à genoux près de mon chien, quand mon mari m'a annoncé la nouvelle et je n'éprouvais rien. Je songeais à l'épine qu'il me fallait enlever de la patte de Bobbie. Je fixais la montre de mon mari au niveau de mes yeux. Je me disais que Linda allait desservir le thé. Cela me semblait drôle de pouvoir penser à ces petites choses : la patte de Bobbie, la montre de Ben, Linda, le plateau de thé. Puis mon mari s'est mis à genoux aussi, a croisé ses mains derrière ma tête. Je me suis laissé faire. Je t'aime, murmurait-il. Je t'aime tellement. Je regardais un petit bout de rideau au-dessus de lui. Il continuait à m'embrasser, mes larmes mouillaient ses joues et je regardais toujours le petit coin de rideau, remarquant qu'il avait passé au soleil et qu'il était plus clair que le rideau voisin. C'est tout.

Pourquoi s'en souvient-elle et pas moi ? J'avais encore posé la question à mon mari en nous séparant devant Central Park. Il s'était contenté de plisser les yeux en me disant comme chaque fois C'est si loin, alors que non, ça ne l'est pas et ne le sera jamais.

La femme se met soudain à rire, un rire si ouvert qu'il en devient contagieux. Ce sont des réactions irrationnelles, puériles, mais elles procurent une aide momentanée, un peu de changement dans l'esprit, nous le savons toutes sur ce bateau. L'envie de la prendre contre moi me traverse, mais déjà elle se lève.

Comme revigorée, elle quitte le salon. Et revient.

— Mon fils était économiste et sa mort lui va bien.

— Pourquoi dites-vous cela ?

— Il est mort d'une blessure à la tête comme souvent les écrivains et les intellectuels. Vous ne le saviez pas ?

23.

En chemin vers le pont, je croise Carol occupée aux derniers préparatifs de la réunion de cette après-midi, dont Clara m'a dit attendre beaucoup. Je ne vois pas très bien ce que ce « beaucoup » sous-entend. Je lui propose mon aide pour installer un tableau, disposer quelques chaises, arranger un bouquet. Elle accepte volontiers.

Au bout d'un moment, nous faisons une pause, appuyées contre un piano. Il ne nous manque plus qu'une cigarette, quelques années de plus chez elle, de moins chez moi, davantage de sujets de conversation et on pourrait nous prendre pour des amies.

— J'ai aimé discuter avec vous hier soir, fait-elle comme si elle avait lu dans mes pensées.

— Moi aussi.

— C'est vrai ?

— Oui, je suis sincère.

— Alors pourquoi opposez-vous cette résistance à parler ?

Après Clara, elle ne va pas s'y mettre elle aussi.

— Vous n'avez pas besoin d'être toujours sur vos gardes, Mrs Troake.

— Je ne le suis pas. D'ailleurs la preuve, je voulais vous demander…

Elle m'adresse un sourire encourageant. Du coin de l'œil, je remarque que Cornelia suit notre conversation.

— … j'ai entendu dire que les hommes qui sont morts d'une blessure à la tête étaient souvent des écrivains, des intellectuels. C'est vrai ?

— C'est ce qu'on dit en effet.

Je la vois se demander si mon fils serait mort ainsi.

— Et… ?

Sa main sur mon bras veut m'inviter à poursuivre. Cornelia s'approche.

— Si on va par là, mesdames, sachant que nos soldats, tous volontaires, étaient pour la plupart issus de milieux favorisés, on enregistre donc une proportion plus importante que les autres nations, de blessés à la tête ?

— Probablement oui, lui répond Carol.

— Et qu'est-ce que cela change ?

— C'est le genre d'informations qui revêt l'importance qu'on lui donne. Bon, mesdames, si vous alliez profiter du soleil quelques secondes, avant que commence la réunion ?

— Vous savez toujours tout sut tout, Carol ? lui lance Cornelia.

— Euh pas du tout. Je dis juste…

— Et comment savoir si c'est vrai, surtout ? Que savons-nous au juste de ce qui s'est passé ?

Carol secoue la tête, cherchant quoi lui répondre. Je me sens d'intervenir.

— C'est une question philosophique, Cornelia ?

— Plutôt pratique, Mrs Troake. Je me souviens d'avoir entendu un spécialiste à la radio parlant de cette guerre abominable et de ce qui l'avait déclenchée, arriver à la conclusion que tout ce qu'on pouvait dire était qu'il s'était passé quelque chose.

— À ce train-là, on peut se demander s'il y a vraiment eu 1,3 million de morts, je fais.

— Dont 116 000 Américains, précise Carol comptant sans doute sur le pouvoir des chiffres pour faire descendre la tension.

— Absolument. Pourquoi croire tous ces experts ? insiste Cornelia.

— Car nous avons confiance en eux. C'est aussi simple que ça.

Nous en sommes là de notre conversation quand Anna file droit sur nous, agitant ses gants devant elle comme pour signifier de lui libérer le passage.

— Je peux savoir pourquoi je suis ici ?

— Mais bien sûr, chère Anna, fait Carol. Nous avons organisé cette réunion pour vous présenter notre programme à notre arrivée à Paris, dans quel hôtel nous allons loger. Un très bel hôtel, vous verrez.

— Je veux dire pourquoi je suis ici, sur ce bateau.

Moi aussi, je me le demande parfois, Anna.

— Vous allez en France, pour vous recueillir sur la tombe de votre fils.

Sur ce, l'air préoccupé, elle l'entraîne à sa place, la fait s'asseoir, lui lisse gentiment sa jupe. Je l'entends lui parler comme à une enfant, avant d'aller rejoindre Ivy Dorothy. Je les regarde se pencher ensemble sur un document, répondre aux questions qu'on leur pose. Je remarque la prudence qui imprègne leurs gestes, leurs mots. Leur ferions-nous peur ? Que craignent-elles ? Crises de larmes, crêpages de chignons, perturbations somatiques, mutisme, manque d'appétit ? La tristesse a tant de visages.

Je profite d'un moment où Carol est de nouveau seule pour l'aborder.

— Saviez-vous qu'Anna était aussi fragile, avant notre voyage ?

— Non, et c'est bien regrettable. Mais il était impossible pour nous d'évaluer l'état de santé réel de vos compagnes de voyage.

— Je me souviens pourtant d'avoir répondu à ce sujet en remplissant le dossier.

— Sur votre santé physique, oui.

C'est vrai.

— Vous êtes inquiète pour elle ?

— Oui et non. C'est juste une question de temps. Les gens finissent toujours par laisser partir leurs morts, malgré l'attachement qu'ils ont pour eux.

— Vous croyez ?

— Oui. Un jour, on se rend compte que la souffrance a disparu, laissant un vide curieux.

— Comment pouvez-vous en être aussi sûre ?

— Quand j'avais vingt ans, ma sœur est morte. Noyée dans une rivière. J'y pense beaucoup en ce moment, forcément.

— Forcément, je répète.

— Excusez-moi, je suis désolée, se ressaisit-elle.

— Ne le soyez pas.

— Si, je sais que les gens font toujours ça, essayer de vous dire qu'ils ont déjà traversé ce que vous traversez, raconter leur propre deuil, mais c'est très agaçant. Et dans le contexte où nous sommes et de ma part à moi, c'est même inconvenant.

Je balaie ses excuses d'un revers de la main.

— Vous disiez « les gens finissent par laisser partir leurs morts »...

— Oui, quand ils comprennent que leur propre survie est en jeu, que leurs morts sont leur frein alors ils les convainquent de les lâcher.

— Encore faut-il en avoir envie.

— Oui il faut le vouloir, fait-elle en me fixant.

À intervalles réguliers, un serveur s'arrête avec un plateau de tartelettes. Cela fait un moment que cela dure, j'ai même remarqué qu'une fine pellicule s'est formée sur les fruits. Cette fois, je tends la main et en attrape une que je fourre dans ma bouche.

Le troupeau réuni, Carol monte sur la scène. Arrivées à Cherbourg, un train spécial nous conduira à Paris. Des voitures nous attendront gare Saint Lazare pour nous conduire à nos hôtels.

Le lendemain matin, une cérémonie se tiendra sous l'arc de triomphe pour y déposer à tour de rôle une rose sur la tombe du soldat inconnu. Le général Pershing et Walter E. Edge, l'ambassadeur des États-Unis, seront présents, ainsi que de nombreuses personnalités politiques et diplomatiques. Cette cérémonie sera suivie d'un déjeuner officiel dans les jardins des Champs-Élysées. Le lendemain, visite du château de Versailles, quartier libre l'après-midi. Le jour suivant, le Louvre, et de nouveau quartier libre l'après-midi, avant notre départ en car vers les cimetières. Cette partie du voyage fera l'objet d'une conférence spéciale ici même demain, conduite par le général Moroney.

— Où logerons-nous ?

— Parmi le vaste choix d'hôtels que compte la capitale, il a été retenu trois établissements : le Plazza Athénée, le Raphaël et le Ritz.

Mrs Vanderbilt se penche vers sa voisine, lui désigne du menton Mrs Hartfield.

— Certaines ici n'y trouveront pas leur place.

24.

La réunion est terminée. Je soutiens son regard dédain quand elle me voit approcher.

— Si nous allions boire quelque chose avant le dîner, Mrs Vanderbilt ?

— Ne vous sentez pas obligée d'être aimable, Mrs Troake. Je peux très bien attendre l'heure du repas toute seule.

— Pas moi. Allez venez.

À ma grande surprise, elle me suit sans broncher.

— Pourquoi ne m'aimez-vous pas, Mrs Vanderbilt ?

— Vous le savez très bien.

— Non.

— Vous avez voulu empêcher votre fils de partir.

— Comment le savez-vous ?

— Vous ne niez pas ?

— Non. Et je ne vois pas en quoi cela fait de moi une personne détestable.

— C'est de notre courage dont ils avaient besoin, pas de nos larmes et de nos gémissements.

— Chacune a fait comme elle a pu.

— Cela vous a conduite à faire le mal autour de vous.

— Le mal ?

— Vous êtes allée jusqu'à menacer cette pauvre Elsie chez elle.

— Elsie Seeger ?

— Évidemment, Elsie Seeger.

Elle laisse passer un temps.

— Vous ne m'aviez vraiment pas reconnue ? Nous avons passé plusieurs soirées ensemble chez elle.

Aucun souvenir.

— À votre décharge, j'avais vingt kilos de moins à l'époque. Et vous, si je peux me permettre, meilleure mine.

Merci.

— Quand je pense que vous ne l'avez même pas appelée à la mort de son fils...

Seeger était mort le 4 juillet 1916. C'est par le journal que je l'avais appris. Il avait vécu près de deux ans de plus qu'Alan. Deux ans de plus pour

Elsie pour le convaincre de rentrer si elle l'avait voulu.

Mais peut-être avait-elle fini par changer d'avis en découvrant dans quelle boucherie son fils s'était engagé ? Peut-être qu'elle aussi l'avait imploré de rentrer ? Mrs Vanderbilt le sait-elle ? Son air fermé ne m'engage pas à lui poser la question.

— Comment va-t-elle ?

— Il serait bien temps de le demander.

— Oh, je vous en prie.

Quelque chose chez moi doit la toucher, son visage s'adoucit.

— Cette chère Elsie n'a pas notre chance. Le cimetière où son fils reposait a été détruit et son corps a disparu. Charles est parti sur place après la guerre, mais ses recherches n'ont rien donné.

Elle joue avec ses sourcils, une expression oscillant entre incrédulité et fatalité.

— Mon fils à moi est mort au cours de la bataille de la Marne, poursuit-elle. Son bataillon s'est trouvé pris sous une rafale d'obus. Une balle en pleine tête.

— Comment l'avez-vous appris ?

— Appris sa mort, vous voulez dire ?

— Oui appris sa mort.

— Je n'ai pas envie de le raconter.

— S'il vous plaît.

Son regard m'ordonne de me taire, mais je veux savoir.

— S'il vous plaît, Mrs Vanderbilt, au nom de...

De quoi ? Notre amitié ? Nos fils ?

Elle tourne les talons. Je reste là quelques instants, attendant pour me lever que mes mains ne tremblent plus.

Sixième jour

25.

En arrivant dans la salle de restaurant, je remarque que les bouquets n'ont pas été rafraîchis, que les couverts et les verres sont disposés de travers. Les serveurs font cogner les assiettes. Il règne une nervosité inhabituelle, vulgaire en de tels lieux.

— Tu es au courant ? me lance Clara à peine suis-je assise.

— Au courant de quoi ?

— Il y a un mort sur le bateau.

— Un mort ? Mais qui ça ?

— Personne, la coupe sévèrement Ivy Dorothy.

— La personne s'est tranché la gorge, précise Clara. Il y a du sang plein sa cabine, plein le couloir.

— Mais vous dites n'importe quoi !

— Mais qui est cette personne ?

— Justement, nous ne savons pas. Ivy Dorothy ne veut rien nous dire.

— Je vous en prie, mesdames.

— Il paraît que le sang tache durablement. Quel dommage, un si joli bateau.

— Taisez-vous ! s'écrie Blanche.

— Alors dites-nous de quoi il s'agit. Vous le savez forcément.

— Non, je ne le sais pas.

— Un homme ? Une femme ? Dites-nous ça au moins.

— N'insistez pas.

Clara se soulève légèrement de son siège.

— Mais n'est-ce pas le général qui arrive ? Je vais le lui demander. Il saura sûrement, lui.

— Non, mesdames, restez ! Je pars me renseigner.

Je cherche des yeux la vieille dame, elle n'est nulle part. Je demande autour de moi. Personne ne l'a vue.

— C'est sans doute elle alors, fait Clara morose.

— C'est en quelque sorte leur métier aux vieilles dames de mourir, remarque Mrs Vanderbilt d'un air distrait.

Ivy Dorothy revient. Tous nos regards se tournent vers elle.

— Alors ?

— Vous me promettez de garder cela pour vous ?

Huit paires d'yeux acquiescent. Même Anna.

— C'est un journaliste. Sa femme n'a pas réussi à le réveiller ce matin. Le médecin a rempli le certificat de décès. Crise cardiaque. Voilà.

— C'est tout ? faisons-nous, sceptiques.

— C'est tout, oui.

— Comme c'est décevant, murmure Clara.

— L'incident est clos cette fois, fait Ivy Dorothy, lançant des coups d'œil inquiets vers Anna recroquevillée sur son sac. Prions le Seigneur. Paix à son âme.

Ce qui s'est plus vraisemblablement passé, c'est que la personne qui a rempli le certificat de décès n'a pas eu la force d'écrire qu'il s'agissait d'un suicide. Certains ne peuvent pas supporter de vivre dans un monde où les gens se suppriment. Ils préfèrent penser que le suicide est une sorte de malentendu, d'accident.

La vieille dame est en effet là, à sa place habituelle. Il arrive qu'une âme charitable, dont je suis, la place mieux sur son fauteuil, descende son chapeau quand un rayon de soleil vient taquiner son visage, réajuste son foulard, lui parle un peu.

Elle se tourne vers moi, elle peine pour me regarder et même seulement pour tenir les paupières levées. Ses doigts de poule sont inertes. Je pense à sa mort à elle. J'imagine son masque. Je clos ses yeux, je grise un peu plus son teint, je la couche sur le dos, je lui croise les mains. Elle est bien, je crois. Elle est à sa place dans le cercueil qui s'enfonce dans la terre. Déjà, ses héritiers se réjouissent. Même ceux qui l'aimaient. Il n'est de mort qui ne soulage un peu par certains aspects, ou qui n'offre pas un avantage. On pleure son père, mais il nous reste son argent. On pleure son mari, sa femme, mais il arrive de s'apercevoir qu'on vit mieux sans eux, et qu'il est même possible de recommencer une nouvelle vie. Mais la mort d'un fils, ça, rien, jamais ne la console.

— Je vous dérange ?

Sans attendre ma réponse, le général Moroney prend place près de moi. Il est si grand que ses pieds dépassent du transat. Ses chaussettes ne sont pas exactement du même marron que son uniforme. Il les a trop souvent lavées. À moins qu'il ne les repasse, ce qui atténue toujours un peu les couleurs. Enfin « il », sa femme de ménage. Il n'a pas d'alliance.

Il penche la tête pour regarder la vieille dame d'un air attendri. Elle s'est endormie, sa main dans la mienne.

— La situation n'est pas facile, n'est-ce pas ? fait-il avec un effort pour paraître détendu.

— Pour qui ?

— Pour nous tous. C'est le premier voyage que nous organisons. Il nous manque encore beaucoup de choses.

— C'est normal, je fais, sincère. Personne ne songerait à vous le reprocher.

La main de la vieille dame bouge dans la mienne. C'est bien, Catherine, me fait-elle.

— Je suppose que je ne suis pas très doué pour lire les visages, les émotions. Je suis plutôt chiffres, consignes, tableaux, mais je vois bien que nous sommes maladroits. Nos escortes, nos accompagnatrices ne savent pas toujours comment maîtriser certaines situations.

— Je ne connais pas les autres, mais Carol est très bien.

La main de la vieille dame bouge de nouveau. Tu as raison, me dit-elle.

— Oui Carol est très bien.

— Ivy Dorothy aussi.

— Oui Ivy Dorothy aussi.

Il remonte légèrement sur le transat, ce qui découvre ses chevilles poilues. Celles de mon mari l'étaient-elles aussi ?

— Je voulais vous dire aussi, Mrs Troake. Votre fils…

La main de la vieille dame a encore bougé. Aide-le.

— Vous pouvez tout me dire, général. Je comprends que ces informations devaient rester secrètes au début, mais plus maintenant. Le temps a passé. Je peux tout entendre, même le pire. Cela m'aiderait.

— Justement, je venais vous dire que je ne sais rien.

— Vous m'êtes sympathique, général, mais je ne vous crois pas. Que vous ne sachiez rien des autres peut-être, mais pas de mon fils.

Il remue ses pieds. Gauche droite, gauche droite…

— Je sais que le soldat Troake faisait partie des premiers à trouver la mort en novembre 1914, au cours de la bataille des Flandres. Qu'il avait dix-huit ans. Votre fils compte parmi nos premiers héros.

— Non, mon fils a un statut à part.

— Il n'existe pas de statut à part, ailleurs que dans votre cœur, Mrs Troake. La guerre, c'est de se mélanger.

Non.

— Comment vous dire cela, général ?

Je fais mine de réfléchir.

— Vous parlez de chiffres, mon fils n'est pas dans la même colonne que les autres.

Il est gêné, il ne me comprend pas.

— Il est dans la colonne de ceux qui n'ont pas attendu la mort pour mourir.

— Pourriez-vous préciser votre pensée, Mrs Troake ?

— Mon fils s'est suicidé.

Une minute passe. Peut-être qu'il ne m'a pas entendue.

— Il est mort, madame. C'est tout ce qui doit compter. Excusez-moi, mais il est bientôt l'heure de ma conférence. Je dois y aller. Je vous dis à tout à l'heure.

Je le regarde s'éloigner. Il me semble voir son grand corps trembler un peu.

Ivy Dorothy est allongée un peu plus loin, ses bas roulotés sur ses chevilles. Je voudrais lui demander pourquoi elle est devenue infirmière, pourquoi elle s'occupe des malades, si ça lui a permis de faire la paix avec la mort. Je voudrais savoir si les mères de morts brutales souffrent plus que les morts lentes. Je voudrais savoir ce qu'elle sait du dernier soupir des soldats. Ils appellent leur mère, mais appellent-ils les mauvaises mères, celles qui ne pensent qu'à elles ? Celles qui n'écoutent pas leur fils. Celles qui ne cherchent pas avec lui d'où est né leur besoin de partir. Celles qui ne les aident pas à réaliser qu'ils sont l'enfant qui met la main dans le feu car on le lui a interdit. Celles qui coupent le dialogue, ne coupent pas le cordon, au risque de les perdre, mais de les perdre libre et eux-mêmes.

Un ronflement s'élève. Comment cette femme peut-elle dormir alors qu'elle est ici pour nous aider, répondre à nos questions ? Je n'ai pas ressenti de colère depuis longtemps et ça me prend plus fort encore comme l'odeur de son parfum après des jours sans en mettre. Et puis l'odeur disparaît, le calme revient.

26.

Beaucoup se sont changées pour des couleurs plus neutres. Mrs Vanderbilt a retiré ses perles et étrangement retourné sa fourrure côté doublure, Cornelia a effacé son rouge à lèvres, Keating s'est tiré sobrement les cheveux en arrière (moi-même je me suis fait un chignon un peu plus bas), Hartfield n'a rien eu à faire.

Le silence se prolonge. Rien ne se passe d'autre que l'attente dans ce théâtre. À côté de moi, les doigts de Clara s'agitent comme si elle émiettait du pain pour des oiseaux. Peu à peu, est-ce la mer, le vent, le mouvement du bateau, le silence finit par créer comme un fluide entre nous, qui nous absorbe, nous sidère. Dans cette torpeur, deux escortes viennent discrètement installer un tableau sur l'estrade. Il penche, à droite, à gauche, avant que nos regards puissent converger vers la reproduction d'un plan de cimetière. Un champ de croix abritant des individus dissemblables, chacun pour soi à ses risques et périls, ses pensées particulières, sa peur, ses regrets. Clic-clac, clic-clac, fait le fermoir d'Anna à ma droite. Nous aussi, de fait, sommes différentes. De naissance, en histoire, en douleur. Mais nous nous ressemblons quand même. Clic-clac. En quoi ? Nous pleurons nos fils. Et puis ? Quelle est cette autre chose que nous possédons en commun ? Clic-clac, clic-clac. Cette autre chose, c'est de les avoir éduqués pour qu'ils aillent à la mort. Nous aurions pu tout aussi bien leur donner tous les matins quelques gouttes de poison que seul un médecin expert aurait su détecter. Clic-clac, clic-clac, clic-clac. Mais non, nous les avons envoyés loin, très loin, animés par des idées de justice, de liberté que nous leur avons rentrées dans le crâne à coups d'histoires de petits canards ou de mythologie grecque. Clac, clac, clac. Nous les avons obligés à tracer leur route dans les pires tourmentes, qu'importent leurs yeux brûlés par la fumée des obus, leurs tympans perforés, leurs sinus bouchés. Ce sont eux, les ennemis, les vandales, de l'autre côté. Clac ! La main de Clara vient de se plaquer sur la mienne. Sa voix me chuchote quelque chose que je ne comprends pas. Je ne suis pas seule, c'est tout ce qui doit compter. La tempête tombe, le souffle est passé. Le sol sous mes pieds est de nouveau stable quand entrent Carol et Ivy Dorothy, si nerveuses, quand entre le général, si pâle sous ses plaques rouges.

Il nous observe un moment avant de prendre une profonde inspiration.

— Mesdames, je ne le dirai jamais assez, c'est un immense honneur pour moi de vous conduire pour ce voyage historique. Depuis Paris, où nous passerons trois jours, des cars vous conduiront dans les différentes nécropoles. Le cimetière de Romagne-sous-Montfaucon, le cimetière de Belleau, le cimetière d'Oise-Aisne…

Pesant chaque mot, il s'exprime d'un ton incroyablement sinistre.

— … le cimetière de Saint-Mihiel, le cimetière de la Somme et…

Il s'interrompt comme pour gagner du temps.

— … et enfin, le cimetière de Suresnes près de Paris.

— Combien de temps pourrons-nous rester sur place ? demande une femme sur le rang de devant.

Je vois de profil son visage tendu, avec des petites taches marron près des oreilles.

— Mais le temps qui vous sera nécessaire, madame…

Il jette un œil sur son papier.

— Il est important pour nous que vous puissiez leur rendre hommage dans le respect que nous leur devons.

— Est-il vrai que la France et les États-Unis n'arrivent pas à se mettre d'accord ?

Il met un temps avant de réagir.

— D'accord sur quoi, madame ?

— Sur à qui appartiennent les terrains, par exemple. Est-ce à la France ou à nous ?

Quelque chose monte dans l'atmosphère.

— Quelle importance ? fait une voix.

— Considérable… en fait une autre.

— Mais non, aucune.

Un brouhaha s'élève dans le théâtre.

— Mesdames, mesdames, fait le général, nous invitant au calme.

— Est-il vrai que toutes les croix ne sont pas encore fabriquées ?

— Que le marbre n'est pas de bonne qualité ?

— Qu'aucune route ne permet d'accéder aux cimetières ?

— Autrement qu'à pied avec de la boue jusqu'au cou ?

Anna s'agite à côté de moi.

— Mesdames, si ce voyage a lieu aujourd'hui, s'il nous a fallu autant de temps pour l'organiser, c'est que toutes les conditions sont réunies pour en pour faire un… une… réussite.

Cornelia se lève.

— Il paraît que des corps ont été inversés. Un mort pour un autre.

— Un mort pour un autre ?

— Un mort pour un autre.

La phrase passe de siège en siège. Dans un moment, le rideau va tomber, nous saluerons le public et rentrerons dans nos loges.

— On dit aussi que des corps ont été perdus.

— Perdus ?

— Perdus !

D'autres femmes, dont je suis, se lèvent à leur tour.

Moroney fait de grands mouvements avec ses bras pour nous rappeler à l'ordre. De général, il est passé à un colonel qui viendrait de comprendre que le renfort n'allait pas arriver à temps.

— Oui, en fait la tombe est vide. Il n'y a personne dedans.

— Personne ?

— Oui, personne !

— Les Français ont voulu récupérer leurs morts et parfois ils se trompaient. Ils ne prenaient que la tête.

— Que la tête ?

— Vous ne saviez pas ? Les Français ont beaucoup de corps sans tête.

— Les Français peut-être, mais pas nous !

— Qui sait ?

195

Anna se lève, vacille, Ivy Dorothy, assise à côté d'elle, la force à se rasseoir.

Le général tapote sur son micro.

— Mesdames, chacun de vos fils a bénéficié des mêmes conditions…

— Pas nos maris ?

— Chacun de vos fils et de vos maris ont bénéficié des mêmes conditions d'inhumation. Ils sont enterrés chacun sous une croix.

— C'est faux, nous le savons.

— Presque tous sont enterrés sous une croix.

Ce « presque » est repris en chœur.

— Ils mentent ? articule Anna.

Elle se laisse tomber contre moi. Je sens son souffle sur mon visage.

— Doucement, doucement, Anna. Tout ira bien.

Cela ne se passe pas réellement bien sûr. C'est la femme de la pièce de théâtre qui parle, pas moi.

— Venez vous reposer dans votre cabine ? lui souffle Ivy Dorothy.

Anna se redresse brutalement.

— Vous mentez !

— Mesdames, il est arrivé que parfois, mais très rarement, les conditions nous obligent à en mettre deux.

— Deux quoi ?

— Deux hommes dans la même tombe.

— Qui est avec mon fils ? crie Anna.

196

— Mais personne.

— Je veux savoir qui est avec mon fils.

Ses larmes coulent.

— Ne pleurez pas Anna, la supplie Ivy Dorothy.

— Mais si, qu'elle pleure !

Qu'on lui laisse au moins ses larmes.

— Je vous en prie, Mrs Troake. N'envenimez pas la situation.

D'une main ferme, elle entraîne Anna hors de la salle. Celle-ci a un dernier sursaut devant la porte, avant de céder.

— Et les morceaux, où vont-ils ? demande la femme devant moi.

— Ils sont enterrés, madame.

— Enterrés comment ? Tous mélangés, c'est ça ?

— Non. Contrairement aux Français et aux Allemands, nous n'avons pas d'ossuaires.

Il tente d'en tirer quelque fierté.

— Un ossuaire ?

— Il s'agit d'un espace… Un espace évidemment sacré, mais un espace…

— Toutes les têtes, les jambes, les bras ensemble, traduit Cornelia.

Un même frisson parcourt les rangs. Carol s'avance vers l'estrade, le général lui cède sa place.

— Mesdames, mesdames, quelle importance ? fait-elle.

Sa voix siffle dans le micro.

— Entiers ou en morceaux, ça n'a pas d'importance ? s'exclame une femme.

— Ils vous attendent depuis si longtemps, enchérit Carol.

— Là n'est pas la question, la coupe Cornelia. Oserons-nous la dire la vérité, celle qui nous brûle les lèvres, quand nous serons sur place ?

Personne ne répond.

— Quelle vérité, vous demandez-vous, mesdames ? Qu'ils sont morts pour rien. Tous, dans cette guerre, lui, lui, et lui, fait-elle en nous désignant l'une après l'autre. Tous, ils sont morts pour rien.

Après un moment de flottement, des escortes, paupières baissées, nous remettent un plan. Mes yeux fixent la croix rouge au centre du cimetière de Romagne-sous-Montfaucon. Il est là.

Les portes s'ouvrent.

27.

Assommée, mais calme, je file dans ma cachette sur le pont. De là, je vois cheminer des petits troupeaux de femmes hagardes comme des enfants qu'on aurait réveillés en pleine nuit. Des voyageurs s'arrêtent pour les regarder passer.

Je tente de recoller les morceaux, m'assoupis un peu. Quand je rouvre les yeux, une femme se tient accrochée à la rambarde. Son étoile sur le revers de la veste me renvoie un pâle éclat de soleil. Je la rejoins. Ses jointures sont blanches à force d'être crispées.

— Je ne comprends toujours pas ce qui s'est dit tout à l'heure, murmure-t-elle. Ces questions-là, je ne me les étais jamais posées...

Moi non plus. Je leur avais fait confiance. Ils m'avaient pris la vie de mon fils, ils m'avaient pris sa mort, mais j'étais certaine que là-bas, au moins, les choses avaient été faites correctement, avec toute la dignité nécessaire, même si ce mot ne m'a jamais paru aussi oiseux.

La femme se passe machinalement sa main restée libre sur le front.

— … Il était mort et enterré, il me manquait tous les jours, les choses étaient ainsi. Mais, à cause de ces questions, me voilà à revivre des scènes que je croyais enterrées au fond de ma mémoire.

— Comme l'annonce de sa mort ?

Elle ne dit rien. Elle cherche ses mots pour m'ordonner de me mêler de ce qui me regarde.

— Au début, je trouvais cela inadmissible que mon mari ne soit plus là.

Son mari ?

— Je pensais ne jamais m'en remettre.

Je n'avais pas fait attention à son âge. En effet, elle est bien plus jeune que moi. Ça ne m'intéresse pas de savoir pour elle.

— Je connais ce sentiment, fais-je d'une voix polie, pensant mettre ainsi un terme à la conversation.

— Non, je ne crois pas que vous le connaissiez, ce sentiment. On parle de veuve inconsolable, pas de mère inconsolable. D'ailleurs il n'y a même pas de mot pour désigner les mères qui ont perdu un enfant.

J'avais déjà réfléchi à cette question. Il m'avait semblé en avoir trouvé un : désenfantée, avant d'en être finalement déçue. Mon enfant, je l'ai toujours. Il est mort, mais il est là. Et puis j'ai deux filles. J'avais longtemps cherché un mot à moi, un mot pour moi toute seule, avant d'y renoncer. Ce n'était peut-être pas un mot qu'il fallait, mais un son, une odeur.

— Je pensais que je ne pourrais jamais m'en remettre et puis je m'y suis faite, poursuit-elle. Son image qui au début me hantait s'est estompée, et je ne me souvenais plus de lui que de temps en temps. Au point même d'envisager de tomber amoureuse, de me remarier.

Et elle l'avait fait ? Non, elle ne serait pas là, sinon. Seules les veuves non remariées ont droit à ce voyage.

Elle se tourne vers moi avec une impression d'étrangeté, comme au sortir d'une somnolence, et s'éloigne. Une minute plus tard, je la vois revenir sur ses pas.

— Vous savez, il est très risqué de poser ce genre de questions.

— Ne vous inquiétez pas pour moi.

C'est un besoin que j'ai. Entendre la scène fondatrice de leur malheur, fouiller pour trouver le lieu où tout se termine, où l'eau sale s'écoule une dernière fois. Je ne peux plus faire autrement, je ne peux plus le contenir maintenant.

28.

Triple menton, une bosse étrange au sommet du crâne, ventre proéminent, pieds larges, cinquante-deux, cinquante-trois ans.

— Bonjour, nous n'avons pas encore eu l'occasion de nous parler. Je me présente, Catherine Troake. J'ai perdu mon fils.

Elle ne renchérit pas. Ça commence mal.

— Le vôtre s'appelait comment ?

— Clovis, comme un roi français du Ve siècle, fait-elle d'une traite.

— Vous avez appris sa mort comment ?

Mieux vaut ne pas perdre de temps.

Elle laisse passer un léger silence stupéfait, puis commence à lisser sa jupe.

— J'étais dans la buanderie. Mon mari est arrivé avec la voisine. Je n'ai pas écouté ce qu'il m'a dit. Sa chemise était tachée, je ne voyais que ça. Je ne voulais pas que ma voisine pense que je ne prenais pas bien soin de ma famille. J'ai collé mon nez à la tache et j'ai reconnu l'odeur du vomi. Alors, j'ai pris un savon et j'ai frotté, frotté, et comme elle ne partait pas, j'ai tapé dessus avec la brosse. La voisine voulait m'arrêter, mais mon mari lui disait de me laisser faire.

Je fixe la brosse sur son crâne.

— C'est la première fois que je me souviens de ce que ma tête avait oublié.

Une femme en manteau vert épais s'approche de nous.

— Moi, quand j'ai compris que Bernie n'allait pas revenir, que je l'ai lu moi-même sur le télégramme, j'ai voulu aller de l'autre côté.

— De l'autre côté ?

— Oui, du côté du passé. Le seul endroit où je pouvais le trouver, où nous pouvions être ensemble. J'écoutais les chansons qu'il aimait, je lisais ses livres, je regardais ses photos. Je les avais punaisées au-dessus de mon lit. La première chose que je voyais le matin, c'était son visage qui me regardait.

Elle se frotte les genoux. Les mains doivent toujours faire quelque chose quand on a mal.

— C'est la première fois que je me souviens de ce que ma tête avait oublié.

D'autres femmes se joignent à nous, assises à deux sur le même transat.

— Moi je rentrais des courses quand j'ai vu mon mari courir à ma rencontre. Je me souviens du bruit des voitures, d'une femme qui m'a bousculée car je bouchais le trottoir.

Les coudes appuyés sur les cuisses, elle semble se réduire ou se rapetisser.

— Quand il m'a dit, je me suis mise à crier, crier. J'ai mis mes mains sur les oreilles pour ne pas les entendre, mais mes cris ont traversé mes mains.

— Et moi c'était dans mon jardin, fait une autre. C'est ma belle-mère qui me l'a appris.

— Moi c'est par mon autre fils.

— En apprenant la nouvelle, c'était comme si on m'avait arraché le cœur.

— Le cœur ? Moi c'est le ventre qu'on m'avait retiré. Pendant des semaines, j'ai vécu sans lui.

Moi, c'est le contraire. Alan était revenu dans mon ventre, je le portais de nouveau. Il ne bougeait pas, c'était la seule différence. Mais en posant la main dessus, assez longtemps pour que ma chaleur l'atteigne, il me semblait qu'il dormait mieux.

— Parfois je prenais ses vêtements et je les étalais sur moi. Cela faisait comme une immense couverture.

— Vous avez bien de la chance. Moi, mon mari ne voulait pas que je fasse ça.

— Oh ma pauvre.

D'autres femmes arrivent. Vus d'en haut, nos transats doivent former une immense étoile. À combien s'élèvent celles que leurs fils ont voulu fuir, étouffés par leur amour, quand ils se rendaient compte que, délestés de notre poids, ils se mettaient à avancer sacrément plus vite même s'ils ne savaient pas vraiment où ?

Leur conversation me donne l'impression de mâcher du barbelé que j'avale malgré tout.

— Moi, je me suis évanouie. Et quand je me suis réveillée, je me suis évanouie de nouveau. Comme ça quatre fois. Mon mari a eu peur que je ne veuille plus jamais revenir.

Je ne capte plus que des bribes.

— Toutes les nuits, je pleurais.

— En cachette, je lui parlais.

— Je me suis mise à me gratter les jambes. J'ai gardé les cicatrices.

— Le militaire ne voulait plus repartir.

— Vous voulez voir mes cicatrices ?

— Je le rejoindrai là-haut.

— Vous avez de la chance d'y croire.

— Mon mari m'a dit « Il n'est plus ».

Voilà, ce sont eux. Ce sont ces mots là.

29.

Je finissais ma valise, la voiture m'attendait pour me conduire au port, quand on avait sonné à la porte. Mon mari était entré dans la chambre avec le télégramme ouvert. Il avait prononcé ces mots : « Il n'est plus. » Il n'est plus à Paris, il était déjà parti. Cela ne changeait pas ma décision. J'allais prendre une voiture, remonter les colonnes de soldats sur la route, le reconnaître parmi tous. Je n'allais pas l'embrasser, pas tout de suite. J'allais d'abord lui rappeler les oiseaux qui venaient le protéger la nuit et qui l'attendaient à la maison. Il allait faire non de sa jolie tête. J'allais lui expliquer que les mots « liberté », « justice », « patrie » ne voulaient rien dire, qu'ils étaient à la fois vides et écrasants, comme si on cherchait à faire rentrer trop de texte dans une page, un ciel dans un nuage, un loup dans la gueule d'un agneau. Combien de sentiments plus complexes ils recouvraient. Par exemple mon chéri, écoute-moi bien, le désir de surpasser les autres, la rancune, l'impossibilité à s'accepter, la peur d'être déçu, de décevoir. Et le sentiment sans doute d'avoir à payer un trop grand amour, mais ça je ne le lui dirais pas, j'allais le garder pour moi. Et si ma voix douce ne le convainquait toujours pas, je n'hésiterais pas à me mettre en colère, à crier son prénom. Comme ça tu vois : Alan ! Alan ! Et même plus fort encore : Alan ! Alan ! Alan ! Là, mon mari était allé fermer la fenêtre, avait baissé les volets, m'avait plaquée contre sa poitrine pour étouffer les cris que je n'allais pas pousser.

Voilà c'est ça.

Les jours suivants s'étaient déroulés dans un brouillard à peine interrompu par les visites du médecin. Je respirais à travers des bandes de gaz entourées autour de ma tête. Quand, finalement, les mots avaient eu un sens, j'avais voulu aller le chercher, mais la France était toujours en guerre. J'avais appelée Edith Roosevelt pour qu'elle m'obtienne une dérogation, mais elle avait refusé.

Je n'avais donc rien à faire. Pas de dernière tenue à choisir, pas de dossier à remplir, pas de plaque à graver, pas de front froid à embrasser, pas de mot à glisser dans le cercueil avant qu'il ne soit refermé. Alors, je sombrais, tout me parvenait

déformé. J'entendais joie et j'avais de la terre plein
la bouche. Je lisais fruit et un ver s'agitait dans
la chair goûteuse. J'entendais nuit et je voyais un
trou où l'on jette des cadavres. Mon cerveau s'était
altéré, ou plutôt c'était comme si on m'avait greffé
celui d'une autre personne. Comme si je ne m'étais
pas connue avant et Alan non plus de ce fait. Tant
mieux, je n'aurais pas aimé qu'il connaisse cette
femme-là.

Et lui qui était-il ? N'était-il pas temps pour
moi de le regarder comme un être à part entière ?
De faire un pas de côté ? Mais comment ? Qui le
connaissait à part moi ? Qui pouvait me parler de
lui ? Une seule personne. Il n'y avait qu'un seule
personne à qui Alan s'en était remis pour savoir
quoi penser, quoi faire, où être : Alan Seeger.

Au moment de sa mort, son père avait réuni dans
un recueil ses articles dans différents journaux, des
lettres adressées à des éditeurs, des imprimeurs.
Ses écrits révélaient un jeune homme dévoré d'ambition et du désir de publier, impudent, poseur et
obséquieux, très soucieux de l'opinion des critiques,
n'hésitant pas à se comparer à Edgar Poe, Emily
Dickinson, Walt Whitman. Tout ce que j'avais
pressenti de lui, son manque de sincérité, son égocentrisme, se vérifiait.

Mais je n'avais rien trouvé sur Alan. J'avais alors
demandé à mon mari d'obtenir de Charles les lettres

qu'il avait envoyées à ses parents. Celui-ci avait refusé, mais par amitié et en cachette d'Elsie, il avait accepté de lui confier celles adressées à sa sœur.

Les premières lettres se souvenaient de Mexico où ses parents étaient partis vivre et à qui il rendait visite pendant les vacances. Comment sa sœur et lui s'emplissaient l'âme de ces grands espaces, combien lui se sentait possédé du désir « d'encercler la terre tout entière de son insatiable besoin de l'admirer, de l'adorer… ». Mais combien il rêvait aussi d'être « allongé, mort, en un lieu désert, ou bien là où les vagues tumultueuses des batailles laissent derrière elles, sur les sables humides, des restes de vie agonisante, quand leur Îlot rouge se retire… ».

Au printemps 1914, il confiait à sa sœur un mal-être, une « sorte d'affliction qui seule peut développer les profondeurs de l'esprit humain ». Il disait souffrir du manque d'inspiration. Il était trop heureux à Paris et savait qu'il n'écrirait bien qu'avec « des enjeux supérieurs », en accomplissant « un acte accordé à la transcendance » quitte à faire « le pari de l'absurde et du monstrueux » comme sa sœur lui avait visiblement fait remarquer. En septembre, rien n'aurait pu l'arrêter : « Depuis trop longtemps, j'ai quitté nos rivages pour savoir quel état d'esprit est le vôtre mais, pour moi-même, je sais bien que je me jetterais au milieu des obus et du feu, que je ferais face à des périls nouveaux, et dresserais mon lit en de nouvelles privations si notre Roosevelt commandait ».

Depuis le front, il tentait visiblement encore de consoler sa sœur, se disant heureux dans cette guerre « antidote à la civilisation » qui lui faisait oublier « les médiocrités de l'ordinaire », réclamait « le rare privilège de mourir bien ». Ce qui l'intéressait, c'était l'héroïsme, le sacrifice, la beauté de l'action combattante. « Adieu la vie, adieu l'amour, adieu toutes les femmes ».

En février 1916, atteint d'une bronchopneumonie aiguë, il avait dû cesser de se battre : « Je suis à l'hôpital, non pour une blessure de guerre, malheureusement, mais pour maladie… » Ce fut la dernière lettre adressée à sa sœur.

Restaient ses poèmes. Je n'y trouvais rien non plus sur mon fils. Ou quand je pensais avoir décelé une allusion, une nuit de sommeil et une volonté d'être objective me prouvaient le lendemain le contraire.

Au final, j'avais dû me rendre à l'évidence : je n'avais rien appris sur Alan.

C'était donc que ce qui les liait résidait au-delà des mots. Et même, au-delà de la vie. Ils faisaient partie de ceux chez qui, de naissance, instinctivement, la vie et la mort cohabitent. De ceux qui savent, aussi vivants soient-ils, que la mort a en eux la parole. Ils avaient toujours su ce qui allait leur arriver. Leur « rendez-vous avec la mort » était pris depuis longtemps. Je n'y étais pour rien.

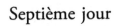

Septième jour

30.

Ce matin, les premières côtes sont apparues. Notre groupe s'est spontanément réuni sur le pont. Mon regard s'attarde sur Mrs Hartfield, Keating, Cornelia, Mrs Vanderbilt, Clara. Et sur cette femme blonde à qui je n'ai jamais parlé, mais dont le sourire permanent cache forcément un grand mystère, sur sa voisine dont la fatigue d'être là marque les traits, sur cette femme sévère, mais qui, à sa tête naturellement penchée, doit nourrir des trésors de tendresse.

Les côtes se distinguent plus nettement d'heure en heure. Quelle sensation merveilleuse, ce temps interminable de l'approche. Ce moment où l'on accoste. Quand le destin devient enfin un chemin visible, une direction certaine. Plus de dilemmes, plus de remords inutiles. Savoir où. Et y aller. Quel qu'il soit, ce destin.

Des mains s'agitent sur le quai.

ÉPILOGUE

Catherine et ses compagnes ont débarqué sur le port de Cherbourg, en fin de matinée. Pendant quelques heures, elles se sont senties légèrement tanguer. Leurs pieds cherchaient la houle.

Des journalistes les attendaient que le général et les escortes ont écartés avec politesse.

Elles ont embarqué dans un train spécialement affrété, d'où elles ont pu apprécier de revoir enfin des arbres, des collines, les étendues de colza typiques de la région.

À l'approche de Paris, dans un même élan puéril, elles se sont collées aux vitres pour apercevoir la tour Eiffel, sauf Mrs Vanderbilt et Catherine qui la connaissaient et les ont contemplées, attendries. C'est à cet instant que les deux femmes ont échangé leur premier vrai regard.

À leur arrivée, les femmes ont été conduites en taxi dans leurs hôtels respectifs. Catherine, Mrs Vanderbilt, Cornelia, Mrs Hartfield faisaient partie du même « groupe du Ritz ». Sur le trajet, Mrs Vanderbilt et Catherine ont constaté que la ville avait changé et s'en sont fait la remarque. Par son architecture bien sûr, mais aussi par sa propreté et sa circulation plus dense. Un dîner léger leur a été servi dans un salon privé. Seule Mrs Keating avait toujours cette sensation sous les pieds, comme si elle marchait « sur de la jelly ». Elles se sont couchées tôt. Mrs Hartfield dormit mal cette nuit-là, « à cause de la présence du téléphone dans sa chambre », sans que personne ne comprenne bien pourquoi.

À dix heures le lendemain, le général Pershing, l'ambassadeur des États-Unis Walter E. Edge et son épouse vêtue d'un ensemble gris-vert, ainsi que de nombreux diplomates français et étrangers ont salué leur arrivée sous l'arc de Triomphe. Le général Pershing a prononcé un discours remarqué dont le même extrait a été repris dans les journaux du lendemain : « Jamais nous n'oublierons les volontaires américains de la Grande Guerre. Quelques-uns, selon leurs pouvoirs, ont offert leur plumes, leur argent, leur aide à nos blessés, ou leurs vies. » Anna Rock a refusé de jeter sa rose sur la tombe du soldat inconnu, préférant la glisser dans son sac. Le déjeuner servi au pavillon Gabriel, dans les jardins des Champs-Élysées, a laissé plusieurs d'entre elles sur leur faim (viande indéfinissable, sauce au goût de vin, café trop fort).

L'après-midi, deux groupes se sont formés, l'un en direction du musée du Louvre, l'autre vers le Grand Palais. De son côté, Mrs Vanderbilt a rendu visite à une jeune nièce mariée à un médecin de Grenoble installé depuis peu à Paris, puis est rentrée à l'hôtel où elle a élu comme son fief un certain divan de la galerie, à mi-chemin entre le hall et le restaurant, de façon que tout le monde soit obligé de passer devant elle.

Catherine elle s'est rendue au café de Flore. Sans hésiter, elle s'est dirigée vers la première table à droite, la table d'Alan (du moins l'a-t-elle imaginé). Elle s'est assise dos tourné à la porte, laissant Seeger sur la banquette pour pouvoir héler ses amis entrant dans le café. Au bout d'une heure, lassée de cette banquette vide et contrariée par son chignon trop perché telle qu'elle l'apercevait dans le miroir face à elle, elle est rentrée à pied à son hôtel, en admirant l'élégance des Parisiennes, une des rares images restées fidèles à sa mémoire.

En attendant le retour du groupe, elle a pris un verre au bar de l'hôtel, le Café des Dames, et s'est plongée dans la lecture d'un *L'Illustration* oublié sur une table. Elle y a appris que la toute première course des garçons de café était organisée le dimanche suivant, que Joséphine Baker dansait aux Folies Bergère vêtue d'un pagne de bananes.

Elle s'attendait à une patrie encore endeuillée, mais c'est un pays capable de gaieté qu'elle découvrait. En faisant part de son étonnement à Mrs Vanderbilt venue la rejoindre, celle-ci s'est contentée de lui répondre avec un sourire malicieux « Paris sera toujours Paris » (neuf ans plus tard, une chanson portera ce titre, ce qui sera pur hasard). Le soir, un dîner leur a été servi dans la grande salle de restaurant de l'hôtel (brochet mayonnaise, pigeonneau aux olives).

Le lendemain, pendant que Versailles était conté au reste du groupe, Catherine a rejoint Clara, logée au Plazza Athénée, et toutes les deux se sont rendues chez Gabrielle Chanel, Paul Poiret ayant malheureusement mis la clé sous la porte, frappé par la crise économique. Elles se sont choisi un ensemble en jersey, une nouvelle matière légère et souple, bleu pâle pour l'une, bleu plus vif pour l'autre. Elles se sont séparées après avoir traversé les Tuileries. En atteignant la rue de Rivoli, Catherine s'est étonnée de n'avoir pas pensé une seule fois à son jardin. Elle a pris conscience (ou du moins se l'est-elle formulé en elle-même pour la première fois) que ce qu'elle aimait avec lui, c'était que tout bougeait tout le temps. Ce qui était mort, on l'arrachait et on replantait.

Une heure plus tard, elle est discrètement ressortie de l'hôtel. Il lui restait une chose à faire, une chose pénible et délicate. Peut-être aurait-elle pu s'en dispenser, mais elle avait laissé suffisamment de choses non résolues derrière elle. Elle s'est rendue chez la cousine qui avait hébergé Alan dans sa chambre du sixième étage. Elle ne l'en avait jamais remerciée et craignait qu'elle ne lui en veuille. Ce n'était pas le cas. Il arrive qu'on se fasse une montagne de certains faits en oubliant que le temps, de nouveaux problèmes, l'oubli l'ont largement érodée. La visite a été brève, mais cordiale. Au moment de partir, elle a demandé si elle pouvait voir la chambre. La cousine lui a remis la clé, en s'excusant par avance de la poussière, n'étant jamais remontée là-haut depuis, la faute à une sciatique chronique (et quelques kilos en trop). Là, Catherine s'est assise sur le lit couvert des feuilles éparses dont lui avait parlé Alice, les a déchirées une à une en petits rectangles réguliers, a ouvert la fenêtre et les a jetés. Après avoir observé quelques secondes cette neige insolite, elle est redescendue, a déposé la clé à la gardienne. En quittant l'immeuble, elle s'est posé la question, la première fois depuis des années, de ce que ses filles faisaient à cet instant précis. De retour à l'hôtel, il était plus de minuit, elle leur a écrit à chacune une lettre. Une lettre qui, parce qu'elle aurait dû demander pardon, était forcément insuffisante, imprécise, fragmentaire, orientée. Alors elle a préféré autre chose, leur rappeler les paroles de la chanson qu'elle leur murmurait à l'oreille quand elles étaient toutes petites : « Kate ma fauvette,/Alice, mon délice,/

quelle joie de vous avoir,/contre moi dans le noir. »
Ceci fait, elle a glissé dans une troisième enveloppe
un sachet de graines de cosmos trouvé chez Vilmo-
rin, quai de la Mégisserie. Pour en avoir parlé plus
d'une fois avec elle, elle savait combien Elsie Seeger,
qui aimait comme elle les jardins, appréciait leur
vitesse de pousse et leur capacité à tout recouvrir.

Le lendemain à neuf heures, un car se garait
devant le Ritz, après avoir eu toutes les peines
du monde à gagner la place Vendôme, toujours
encombrée en cette heure matinale. Avec retard
donc, le car a démarré en direction du cimetière
de Romagne-sous-Montfaucon, département de la
Meuse. Cornelia, qui n'avait pas réapparu depuis
leur arrivée, était montée à bord *in extremis*. Personne ne savait ce qu'elle avait fait, ce qui au fond
ne les regardait pas, étaient tombées d'accord
Mrs Vanderbilt et Catherine.

Elles ont traversé des étendues grisâtres, des vil-
lages aux maisons accroupies, croisé des enfants
courant sur le chemin de l'école. Vers midi, elles se
sont arrêtées dans un restaurant de bord de route,
aux nappes à carreaux rouges douteuses. Aucune
n'ayant d'appétit, elles ont observé des hommes
buvant et fumant accoudés au comptoir, parlant
fort, faisant de grands gestes dans le vide, gueulant
même par moments.

Près du village de Coulonges-Cohan, département de l'Aisne, sous une pluie froide, elles se sont

arrêtées sur la tombe de Quentin Roosevelt, une tombe isolée visible de la route. Elles ont manifesté une grande émotion à tel point que Catherine a entendu Ivy Dorothy s'inquiéter auprès d'une escorte de ce que serait leur réaction devant « leur » tombe. Catherine l'a rassurée, sans savoir d'où elle tirait cette certitude, si elle venait des femmes ou si elle venait d'elle-même. Anna Rock priait toujours quand tout le monde était remonté dans le car. Il avait fallu toute la patience d'Ivy Dorothy pour lui faire réaliser sa méprise – ce n'était pas la tombe de son fils – et lui faire rejoindre le groupe.

À dix-neuf heures passées, elles sont arrivées à leur hôtel, le Bellevue. Catherine et Mrs Vanderbilt ont tenu à partager la même chambre. Une omelette leur a été servie dans la salle à manger, sous le regard inquiet pour certaines, moqueur pour d'autres, d'une fouine empaillée.

Dès six heures, le lendemain matin, toutes étaient prêtes. Mais il a fallu attendre le lever du jour et surtout le chauffeur du car qui ne s'était pas réveillé. Personne ne savait où il dormait, l'hôtel étant complet pour la première fois depuis son ouverture au siècle dernier. L'air restait froid et vif, de gros nuages menaçaient et les escortes avaient du mal à cacher leur anxiété.

Dix heures sonnaient dans cette partie du monde, quand une fois dans le car elles ont vu apparaître au détour de la route les centaines, les milliers, les innombrables croix blanches. Elles sont descendues en silence, ont pris la rose rouge que leur tendaient des escortes aux yeux baissés et, munies de leur plan, se sont avancées vers leur tombe. Leurs yeux y ont lu le nom gravé qui était bien le même que celui inscrit sur leur papier qui était bien le même qu'elles portaient en leur cœur. Après de longues minutes et sans s'être concertées, elles ont déposé leur fleur exactement en même temps sur la tombe, en lui cherchant la position idéale.

REMERCIEMENTS

Je remercie John W. Graham, l'auteur de *The Gold Star Mothers Pilgrimages of the 1930s* (McFarland & Company, Inc. Publishers), seul livre à ma connaissance sur le sujet, dont le travail remarquable a nourri le mien.

CET OUVRAGE A ÉTÉ COMPOSÉ
PAR PCA
POUR LE COMPTE DES ÉDITIONS J.-C. LATTÈS
21, RUE DU MONTPARNASSE — 75006 PARIS
ET ACHEVÉ D'IMPRIMER EN FRANCE
PAR CPI BUSSIÈRE
À SAINT-AMAND-MONTROND (CHER)
EN FÉVRIER 2017

N° d'édition : 01 – N° d'impression : 2028341
Dépôt légal : mars 2017